LES PARADOXES
DU VOTE

JEAN-LOUIS BOURSIN

LES PARADOXES DU VOTE

15, RUE SOUFFLOT, 75005 PARIS

www.odilejacob.fr

ISBN : 2-7381-1379-6

Introduction

Cent quatre-vingt-dix États sont représentés à l'Organisation des Nations unies. Tous sont ou se disent démocratiques, ce qui suppose au moins qu'ils aient une assemblée législative élue, et souvent deux. Beaucoup de ces pays comportent des subdivisions administratives ou politiques aux noms divers : États, provinces, länder, régions, départements… Tout comme les villes et les villages, elles sont le plus généralement administrées par une assemblée élue.

Une fois désignées, ces assemblées sont censées être à l'image de leurs électeurs ; sauf dans quelques cas de démocratie directe comme le référendum, ce sont elles qui, au nom du peuple souverain, délibèrent, prennent des décisions, votent les lois.

Une image, une carte, un plan, une photographie, doivent être fidèles à l'original, au moins dans ses proportions. Dès lors, il semble que ce soit un simple problème mathématique. À la question de la perfection représentative, il devrait y avoir une réponse qui, même si elle n'a pas été calculée, a dû être trouvée empiriquement. Si bien que, à quelques exceptions près que Montesquieu nous expliquerait par la théorie des climats, on devrait observer un mode électoral identique dans tous les États souverains.

Or ce qui frappe l'observateur, c'est au contraire la grande variété des mécanismes qui fonctionnent aujourd'hui. En ce qui concerne la désignation des assemblées législatives, dans les cent quatre-vingt-dix États souverains, il serait bien difficile de trouver deux pays où elles soient élues en suivant exactement les mêmes règles. Des expressions nous reviennent à l'esprit, témoins de la diversité des solutions, souvenirs de comptes rendus d'actualité : collèges électoraux, circonscriptions, premier tour, scrutin majoritaire, scrutin proportionnel, listes, panachage, plus forts restes, plus forte moyenne, apparentements, découpage…

Si l'on sort du champ politique, les exemples se multiplient. Des partis, des associations, des syndicats désignent leurs comités directeurs. Et leurs systèmes de vote varient à l'infini. N'est-il pas possible, armé de sa seule rationalité, de définir un mode de vote idéal, celui qui, sitôt expliqué, s'imposerait à tous de façon évidente ?

Ce n'est pas déflorer cet ouvrage que de donner d'entrée la réponse : c'est non. Et il ne s'agit pas simplement de faire un tour du monde pour pointer l'imparfaite représentativité des diverses assemblées. Les exemples sont utiles, mais ils n'apportent pas de preuve. La seule méthode probante est mathématique. On pose quelques conditions minimales de logique démocratique, ainsi qu'une définition rigoureuse de la représentativité. Par un raisonnement déductif, on en tire les conséquences. Et, en quelques pages, on parvient à d'insupportables paradoxes, parfois manifestés lors d'élections réelles. On a beaucoup ironisé sur l'élection de Gaston Defferre à la mairie de Marseille en 1983, alors que son adversaire, Jean-Claude Gaudin avait obtenu davantage de voix que lui : il avait suffi d'un découpage de la ville en secteurs électoraux bien dessinés, œuvre du ministre de l'Intérieur de l'époque… Gaston Defferre. Bien plus récemment, le même paradoxe a bénéficié à George W. Bush, élu en 2000 à la présidence des États-Unis, bien qu'ayant rassemblé moins de voix que son adversaire démocrate. Nous reviendrons plus longuement sur ces bizarreries. On pourrait penser que ce système d'élection est imparfait et qu'il suffit d'en corriger les défauts. Hélas ! nous le verrons, des théorèmes d'impossibilité ferment définitivement la route vers la perfection.

Pour être inconfortable, la situation n'est pas inédite. Depuis qu'Hipparque de Nicée a inventé la projection stéréographique, on sait qu'il est possible de dessiner des cartes terrestres totalement fidèles pour ce qui concerne les angles, d'autres totalement fidèles pour certaines distances, mais aucune pour toutes les distances et tous les angles. Ce théorème d'impossibilité peut être illustré de façon très concrète : il n'est pas possible d'appliquer la peau d'un quartier d'orange sur un plan sans la déformer.

Il y a encore d'autres sujets de désappointement.

Les assemblées élues ont une fonction : exprimer la volonté générale. Or il est rare que leurs membres soient unanimes. Une décision sera prise, contre l'avis de certains membres et conformément à l'avis de certains autres. Comment concilier ces divergences ? Et, de nouveau, le lecteur pourrait se montrer perplexe : « yaka » voter et nous verrons bien quelle option recueille la majorité ! Rousseau l'écrivait déjà : « La voix du plus grand nombre oblige toujours tous les autres. »

Et notre malaise ressurgit. Si les choses étaient aussi simples que l'affirme Rousseau, verrait-on une telle multiplicité de procédures de vote dans les assemblées de toute nature ? On peut repartir pour notre tour du monde et observer les règlements intérieurs des parlements. Ils sont aussi divers que leurs modes d'élection. Et, là encore, le foisonnement n'est pas réservé au champ politique. Des bureaux d'association prennent des décisions, des jurys décernent un prix littéraire, les correcteurs des différentes épreuves d'un concours se réunissent pour élaborer un classement collectif des candidats, des copropriétaires décident des travaux, des convives choisissent un vin... Les circonstances sont innombrables dans lesquelles, malgré la diversité des préférences individuelles, il est nécessaire de dégager une décision collective.

Parfois, chacun considère qu'il est plus important qu'un choix collectif soit fait, et soit fait rapidement, plutôt que tenter de faire prévaloir son point de vue. À un carrefour, tout automobiliste préfère passer qu'attendre, mais comprend l'intérêt d'une régulation, assurée par un agent de la circulation ou un système automatique de feux tricolores, et il accepte généralement de s'y soumettre. Dans de nombreuses situations moins binaires, une nécessité logique est perçue de façon confuse : il faut bien que quelqu'un tranche et parle au nom de tous. Selon les civilisations, il peut être déterminé par sa naissance (le roi), par son audace ou sa force physique (le caïd), par un charisme personnel (les leaders spontanés d'une foule en colère), par une convention sociale (qui paye commande)... Mais si cette fonction d'interprète de la volonté générale s'accompagne d'avantages matériels ou moraux, un sentiment de « pourquoi pas moi » s'empare vite des autres.

L'idée a été formulée clairement par les philosophes grecs d'une notion d'égalité qui transcende les apparences : qu'ils soient beaux ou laids, forts ou faibles, habiles ou maladroits, actifs ou paresseux, les hommes ont quelque chose en commun qui fonde une forme d'égalité. Elle sera reprise vingt-cinq siècles plus tard par les révolutionnaires « Les hommes naissent libres et égaux en droit ».

Mais comment concilier cette égalité avec la diversité nécessaire des fonctions sociales ? Dans *Les jeux et les hommes*, Roger Caillois nous rappelle qu'à ses débuts la démocratie hésite entre deux formes opposées de justice, l'*alea* et l'*agôn*. Le tirage au sort, par sa symétrie parfaite, concilie l'égalité des chances et la diversité des résultats. Il cite Aristote et les premiers théoriciens de la démocratie, qui « tenaient, en effet, le tirage au sort des magistrats comme la procédure égalitaire absolue. Ils regardaient les élections comme une sorte de subterfuge ou de pis-aller d'inspiration aristocratique. »

Élection. Le mot est prononcé. Il nous est aujourd'hui si familier que nous avons tendance à oublier les multiples conventions qui rendent possible le vote, ce mécanisme qui permet de dégager une volonté générale de la diversité des préférences personnelles, un mécanisme accepté par tous et qui respecte notre sentiment d'égalité, qui respecte aussi, au moins dans les formes, le principe du peuple souverain, la démocratie.

Lorsqu'une question est soumise au peuple, nous dit Rousseau, « chacun en donnant son suffrage donne son avis là-dessus, et du calcul des voix se tire la déclaration de la volonté générale [1] ».

Le calcul est la chose du monde la moins susceptible de débats et on devrait donc observer une grande uniformité des procédures. Nous savons bien qu'il n'en est rien.

Cet ouvrage se propose d'examiner, à la lueur des principes de la rationalité, les techniques de vote les plus employées. La rationalité est prise ici au sens restreint d'adéquation des moyens aux fins poursuivies : par exemple, nous voulons l'égalité, le mode de scrutin nous la fournit-il ? Ou bien, nous voulons la transitivité des choix, c'est-à-dire que si le peuple préfère Pierre à Paul et Paul à Sylvie, il doit préférer Pierre à Sylvie. Le mode de scrutin nous garantit-il cette logique ? Ou encore, nous voulons la cohérence des préférences, c'est-à-dire que si l'assemblée élit Pierre contre Sylvie, la présence ou l'absence d'un nouveau candidat qui, de toute façon, ne sera pas élu, doit être sans influence. La procédure de vote assure-t-elle cette cohérence ?

Malheureusement, nous allons voir que les exigences les plus élémentaires s'avèrent logiquement incompatibles. Au milieu du siècle dernier, le théorème d'Arrow a donné le signal d'une série de théorèmes d'impossibilité, que certains commentateurs ont interprétés comme la preuve mathématique de l'irrationalité du processus de décision politique. Entre le marché et le forum, la raison aurait arbitré. Et ce mécanisme décrit par Adam Smith par lequel chacun, poursuivant son propre intérêt sur un marché libre, contribue le plus efficacement au bien-être général, la fameuse *main invisible*, réglera ce que le législateur abandonne au chaos.

Partie des universités californiennes, cette idée a tout naturellement engendré une méfiance à l'égard de l'État et de la bureaucratie. Certains y ont vu les prémices du reaganisme et du thatcherisme, et plus généralement du mouvement quasiment universel vers la privatisation de pans entiers de la société.

Mais la simple observation montre que ce mouvement n'est pas irrésistible. Les structures politiques de nombreux pays ne manifestent guère de signes de faiblesse, et, là où elles s'effondrent, on a plutôt vu la famine et la corruption que la douce régulation par la main invisible. Le mécanisme de la décision politique, irréductiblement illogique, se maintient pratiquement partout. On peut se demander si, dans les démocraties modernes et apaisées, il n'est pas devenu plus important qu'il existe une règle acceptée, même si son application choque parfois. J'adhère à une association, un club, un parti, j'en accepte les statuts, et en particulier les règles de décision. Député de l'opposition, je me soumets aux lois que je n'ai pas votées. C'est le « pacte social » développé par Rousseau dont la formation résulte d'une unanimité, du type de celle qu'on mentionne souvent dans les statuts d'une association : « Il est créé entre les personnes adhérant aux présents statuts une association dénommée... » S'il se trouve des opposants, leur opposition n'invalide pas le pacte, elle empêche simplement qu'ils y soient compris : ils ne seront pas membres de l'association. C'est, à peine paraphrasé, le texte même du *Contrat social*.

Parsemé de paradoxes, ce livre espère contribuer à cet apaisement de la démocratie : mathématiquement, il n'existe pas de mode de scrutin inattaquable. Les résultats de beaucoup de votes peuvent laisser un goût amer. Si la règle avait été différente, la volonté générale eût pris une autre apparence. Cette règle, qu'on aurait pu prendre pour un détail de procédure, a parfois plus d'influence sur l'issue du vote que les préférences des votants. Elle joue le rôle de la « sensibilité aux conditions initiales », la découverte de Lorenz et qui demeure le pivot de la théorie du chaos en physique. En langage familier, c'est simplement l'adage « petites causes, grands effets ». Le battement des ailes du papillon de Rio peut engendrer une tempête en Asie. Si chaque mode de scrutin viole nécessairement une des conditions de rationalité, le débat à son sujet est proprement interminable. Nous acceptons les imperfections du système en convenant, avec Winston Churchill, que la démocratie est le pire des systèmes à l'exception de tous les autres. Comment imaginer qu'on puisse réglementer efficacement les papillons ?

CHAPITRE PREMIER

Le vote majoritaire

La vie politique, aussi bien que la pratique de nombreux groupes ou associations, a rendu familière l'idée de vote majoritaire, au moins dans le cas le plus simple, celui d'une alternative : c'est oui ou non, ce fut Chirac ou Le Pen ; s'il y a deux candidats au poste de président, chacun indique son préféré, et celui qui recueille le plus de voix obtient le poste. Rien ne semble plus simple, ni moins contestable. Si une motion est mise au vote, chacun exprime son opinion par oui ou par non, ou s'abstient. Si les oui l'emportent, la motion est adoptée.

L'ancienneté du procédé n'interdit pas de s'interroger sur les qualités et les défauts d'un tel mode de décision collective.

Le scrutin majoritaire

Pour désigner une assemblée politique représentative, on peut diviser le pays en un certain nombre de circonscriptions et élire dans chacune le ou les députés qui la représenteront. Les Français sont maintenant habitués au mode de scrutin majoritaire, même si la façon dont nous l'utilisons pour nos élections législatives, et notamment les deux tours de scrutin, n'est pas la seule possible. Les États-Unis, la Grande-Bretagne, utilisent aussi des systèmes majoritaires par circonscription, mais à un seul tour dans la plupart des exemples.

S'il n'y a qu'un siège à pourvoir dans une circonscription, le scrutin est qualifié d'uninominal. C'est le cas en France pour l'élection du président de la République, pour l'élection des députés, pour celle des sénateurs dans les départements où il n'y a qu'un seul siège attribué. S'il y en a plusieurs, le scrutin est dit plurinominal : c'est le cas pour nos élections sénatoriales dans les départements où deux sièges sont à pourvoir, pour les élections municipales, dans les communes de moins de 3 500 habitants, pour les élections au conseil de l'ordre des pharmaciens[1], pour les conseils de la vie lycéenne instaurés dans chacun de nos lycées...

Le principe est simple : chaque électeur peut voter pour autant de candidats qu'il y a de sièges à pourvoir. Pour éviter qu'il ne vote deux fois pour un même candidat, ses votes sont exprimés sur un seul bulletin, qu'il peut rédiger lui-même. Mais des candidats peuvent parfaitement se grouper en une liste, pour inciter les électeurs à voter pour chacun d'eux ; de toute façon, le décompte des suffrages se fait candidat par candidat. Les candidats qui obtiennent la majorité des suffrages sont élus.

Il ne faut pas confondre ce scrutin plurinominal avec le vote par « listes bloquées », tel qu'il est pratiqué par exemple aux États-Unis pour l'élection présidentielle : dans chaque État, le vainqueur, même d'une seule voix, emporte la totalité des mandats attribués à l'État dans le collège des grands électeurs. Certes, il y a plusieurs personnes physiques qui sont désignées à l'issue du vote, mais, pour le processus électoral, elles sont indiscernables, puisqu'elles ont un mandat en pratique impératif de voter pour un des candidats à la Maison-Blanche.

Dans le cas de deux candidats pour un seul siège, il n'y a guère de commentaires à faire. Sauf improbable égalité exacte, le vote désigne le vainqueur (en cas d'égalité, les textes prévoient parfois de déclarer élu le plus âgé des deux candidats, ou le plus jeune. En Grande-Bretagne, il est prévu en ce cas un tirage au sort). Il faut pourtant évoquer un défaut psychologique de ce système, qui est l'impression d'inutilité donnée à certains électeurs. Imaginons une élection dont le résultat est :

– Pierre 58 % des suffrages exprimés
– Paul 42 %

Les électeurs de Paul ont l'impression de s'être déplacés pour rien ; s'ils étaient allés à la pêche, le résultat n'en eût pas été modifié. Mais ce sentiment n'épargne pas les électeurs de Pierre : les 8 % qui ont fait l'avance de Pierre sont bien superflus pour le faire élire, une voix aurait suffi. Et beaucoup de se croire parmi ces 8 % !

Sans que ces pensées inciviques soient toujours aussi précises, l'abstention est souvent plus grande lorsque l'un des candidats est donné largement gagnant.

Le cas de trois candidats (ou plus)

La situation est nettement moins simple dès lors qu'il y a plus de deux candidats. Le mot *majorité* peut prendre en ce cas deux significations parfaitement distinctes. Il peut s'agir de ce que nous appelons plus volontiers la « majorité absolue » : strictement plus de la moitié des suffrages exprimés ; il peut aussi s'agir simplement d'obtenir plus de suffrages que tout concurrent, ce qu'on appelle parfois la « majorité simple ».

Le système de la majorité simple est utilisé en Grande-Bretagne pour les élections législatives, et dans quelques pays qu'elle a influencés : États-Unis, Canada, Inde et jusqu'à une date récente Sri-Lanka et Nouvelle-Zélande. Comme disent nos amis anglais : « *The first past the post.* » On vote une seule fois et, dans chaque circonscription, celui qui arrive en tête est élu. C'est aussi celui qui est utilisé en France au second tour de nos élections législatives. Le défaut du système est évident, il est à la fois technique et politique. Sur le plan technique, c'est le risque de faire plus de mécontents que de satisfaits. Au soir du second tour, celui qui est élu à la faveur d'une « triangulaire » doit bien constater qu'une majorité des électeurs n'est pas satisfaite du résultat. Si 46 % des votants classent les candidats dans l'ordre :

Arnaud Brice Caroline

que 42 % les classent dans l'ordre :

Brice Caroline Arnaud

les 12 % restants les classant, eux, dans l'ordre :

Caroline Brice Arnaud

l'élection d'Arnaud est assurée, alors que 54 % des électeurs l'estiment comme le pire des trois candidats.

Le même exemple permet de constater le défaut politique du système. C'est le phénomène familier des triangulaires. Chacun des deux battus, Brice ou Caroline, pourrait, en se retirant, faire élire l'autre à une large majorité. Si des sondages ou un vote antérieur permettent d'anticiper une telle division de l'électorat, on imagine l'âpreté des « négociations » entre les candidats ! Les partisans de Caroline, bien que ne rassemblant que 12 % des électeurs, sont les maîtres de l'élection : si Caroline se retire, Brice est élu, sinon, c'est Arnaud.

Ces constats ne sont pas nouveaux. Il y a une vingtaine de siècles, Pline le Jeune présidait une séance du Sénat romain. Dans une lettre[2] à Titus Ariston, il raconte la séance. Le consul Afranius Dexter ayant été retrouvé égorgé, les soupçons se sont portés sur quelques-uns de ses affranchis. Devant l'absence de preuves, certains sénateurs, dont Pline lui-même, penchent pour l'acquittement pur et simple des accusés. D'autres sont pour une mesure de bannissement, et enfin certains réclament la mise à mort des suspects.

Pline sent les trois groupes sensiblement aussi nombreux, avec un léger avantage pour les partisans de l'acquittement. Il est tenté de proposer au vote du Sénat cette mesure, mais il craint l'échec de sa suggestion, devant une coalition des deux autres groupes. Cette coalition lui semble aberrante : « Que peuvent avoir de commun la mort et le bannissement ? » Il propose alors un vote sur les trois possibilités, la majorité (relative) devant emporter la décision. Ainsi fut fait, et, à la surprise de Pline, c'est le bannissement qui l'emporte. Et Pline se demande si la procédure n'a pas incité certains sénateurs partisans de la condamnation à mort à voter de façon insincère, pour éviter une issue, l'acquittement, qu'ils refusaient fortement.

Le paradoxe de Borda

Cette lettre n'avait plus attiré l'attention des commentateurs pendant près de dix-huit siècles, lorsque, en 1770, Jean-Charles de Borda présenta une communication à l'Académie royale des sciences, qui attira l'attention sur les votes opposant plus de deux candidats. Il soulignait une bizarrerie à ses yeux intolérable, qu'on appelle d'ailleurs depuis lors le paradoxe de Borda. Il écrivait : « C'est une opinion généralement reçue et contre laquelle je ne sache pas qu'on ait jamais fait d'objection, que, dans une élection au scrutin, la pluralité des voix indique toujours le vœu des électeurs, c'est-à-dire, que le candidat qui obtient cette pluralité est nécessairement celui que les électeurs préfèrent à ses concurrents. Mais je vais faire voir que cette opinion, qui est vraie dans le cas où l'élection se fait entre deux sujets seulement, peut induire en erreur dans tous les autres cas. »

L'exemple que donnait Borda était celui de 21 électeurs ayant à départager trois candidats A, B et C, que nous désignerons par leurs prénoms, à nouveau Arnaud, Brice et Caroline. Les opinions des électeurs sont les suivantes :

– 1 électeur les classe dans l'ordre Arnaud, Brice, Caroline,

– 7 dans l'ordre Arnaud, Caroline, Brice,

– 7 dans l'ordre Brice, Caroline, Arnaud,

– 6 dans l'ordre Caroline, Brice, Arnaud.

Lors du vote, chacun inscrit le candidat qui a sa préférence, et le dépouillement donne :

Arnaud, 8 voix   Brice, 7 voix   Caroline, 6 voix

de sorte qu'Arnaud est élu. Borda considère cela comme peu satisfaisant, car, observe-t-il, 13 électeurs sur 21 le classent en dernier. On peut formuler autrement l'objection de Borda. Après la proclamation, les partisans de Brice protestent si bruyamment qu'on décide de voter pour trancher entre Arnaud et Brice, et comme 13 électeurs sur 21 préfèrent Brice à Arnaud, la cause est entendue. Mais si les partisans de Caroline avaient protesté les premiers, le vote pour départager Arnaud et Caroline aurait aussi placé, par 13 voix sur 21, la candidate Caroline devant Arnaud.

Le vainqueur à la Condorcet

Ainsi, celui qui obtient la majorité (simple) des voix est aussi celui qui, dans des comparaisons par paires, aurait été jugé inférieur à chacun des autres candidats.

En langage moderne, nous dirions qu'Arnaud est un perdant à la Condorcet. De façon générale, devant un corps électoral donné :

– un candidat est dit *vainqueur à la Condorcet* si, dans les comparaisons par paires, il l'emporte sur chacun de ses concurrents.

– un candidat est dit *perdant à la Condorcet* si, dans les comparaisons par paires, il est battu par chacun de ses concurrents.

Borda jugeait inacceptable la victoire d'un perdant à la Condorcet, (ce qu'on appelle aujourd'hui le paradoxe de Borda) et propose sa méthode, désignée depuis lors sous son nom. Nous la reverrons en détail plus loin. Sans être aussi explicite, Pline avait le même souci : « Il y a dans le Sénat un premier combat, puis un second ; et l'avis qui l'emporte sur un autre doit encore soutenir les efforts d'un troisième qui l'attend. » C'est exactement le principe de certaines compétitions sportives, le vainqueur d'une épreuve devant ensuite affronter un nouvel adversaire. Mais dans ce système de tournoi, les milieux sportifs le savent bien, le tableau des matches à jouer est presque aussi important que les qualités sportives, et c'est pourquoi il fait le plus souvent l'objet d'un tirage au sort : au moins, il n'y a pas d'intrigues pour se choisir ses adversaires.

Une crainte, au moins intuitive, de cette toute-puissance de celui qui fixe l'ordre des votes a fait introduire dans le règlement de nombreuses assemblées des règles précises sur l'ordre dans lequel les propositions doivent être soumises au vote. Elles n'empêchent pas toujours les paradoxes, mais, au moins ne sont-ils pas entre les mains d'une personne déterminée. Ainsi, par exemple, dans le règlement de nombreuses assemblées, les amendements sont d'abord mis aux voix, en commençant par le plus éloigné du texte initial. S'ils sont adoptés, c'est le texte amendé qui est soumis ensuite au vote de l'Assemblée.

Un vote du Congrès américain sur l'aide aux écoles privées est ainsi passé à l'histoire des scrutins. Les Républicains, qui souhaitaient le rejet du texte, votèrent avec les Démocrates du Nord un amendement qui supprimait l'aide fédérale aux écoles ségrégationnistes. Ainsi amendé, le texte paraissait inacceptable aux Démocrates des États du Sud, qui, au vote final, le rejetèrent avec les Républicains. C'est là un exemple, nous en verrons bien d'autres, où, dans une assemblée délibérante, un groupe minoritaire, votant un amendement contre son intime conviction, réussit à obtenir la décision qu'il souhaite au vote final.

L'indépendance binaire

En tant que méthode pour classer des candidats, le vote majoritaire présente un autre défaut, qu'illustre l'exemple suivant. Il s'agit de 30 votants, face à 4 candidats. Les jugements individuels sont les suivants :

– Arnaud, Caroline, Brice, Diane	3 votants
– Arnaud, Diane, Brice, Caroline	6 votants
– Brice, Caroline, Diane, Arnaud	3 votants
– Brice, Diane, Caroline, Arnaud	5 votants
– Caroline, Brice, Diane, Arnaud	2 votants

– Caroline, Diane, Brice, Arnaud 5 votants
– Diane, Brice, Caroline, Arnaud 2 votants
– Diane, Caroline, Brice, Arnaud 4 votants

Arnaud, avec 9 voix (exprimant les premières préférences en sa faveur) obtient le plus grand nombre de suffrages (contre 8 à Brice, 7 à Caroline et 6 à Diane). Mais si Diane, prévoyant ce triste résultat se retire de la compétition, les préférences (inchangées entre les autres candidats) s'écrivent :

– Arnaud, Caroline, Brice 3 votants
– Arnaud, Brice, Caroline 6 votants
– Brice, Caroline, Arnaud 10 votants
– Caroline, Brice, Arnaud 11 votants

de sorte que Caroline l'emporte (11 suffrages) devant Brice (10 suffrages) et Arnaud (9 suffrages). Le retrait de Diane, pourtant classée en dernier rang, a exactement inversé le classement des trois autres candidats.

Ainsi, le classement collectif des candidats Brice et Caroline (par exemple) ne peut pas se déduire des classements que font les électeurs de ces deux candidats ; dans notre exemple, la présence ou l'absence de Diane inverse le classement final de Brice et Caroline.

Cet exemple est encore plus malicieux. Nous venons de voir que le retrait de Diane inverse le classement des trois autres candidats. Pire encore : le retrait de n'importe quel candidat inverse le classement des trois autres ! Vérifions-le pour Arnaud, en laissant au lecteur les vérifications analogues pour Brice et Caroline.

Si Arnaud se retire, les électeurs n'ayant pas changé d'avis sur les autres candidats, leurs préférences se retracent ainsi :

- Caroline, Brice, Diane 3 votants
- Diane, Brice, Caroline 6 votants
- Brice, Caroline, Diane 3 votants
- Brice, Diane, Caroline 5 votants
- Caroline, Brice, Diane 2 votants
- Caroline, Diane, Brice 5 votants
- Diane, Brice, Caroline 2 votants
- Diane, Caroline, Brice 4 votants

tableau qu'on simplifie en regroupant les avis identiques en :

- Caroline, Brice, Diane 5 votants
- Diane, Brice, Caroline 8 votants
- Brice, Caroline, Diane 3 votants
- Brice, Diane, Caroline 5 votants
- Caroline, Diane, Brice 5 votants
- Diane, Caroline, Brice 4 votants

Le classement des premières préférences donne alors :

- Diane 12 Caroline 10 Brice 8

ce qui est le classement inverse du classement trouvé lorsque les quatre candidats étaient en lice.

Cette propriété paradoxale est de celles que les théoriciens, et peut-être simplement le bon sens, font redouter dans un système de vote : qui ne souhaiterait que le classement de deux candidats ne dépende que de la façon dont les électeurs les classent ? Selon les auteurs, elle est appelée *indépendance à l'égard des informations extérieures*, ou plus brièvement, comme nous l'avons fait ici, indépendance binaire.

Un petit apologue montre combien l'absence de cette qualité paraît parfois illogique. C'est le choix du dessert :

MAÎTRE D'HÔTEL : Vous avez le choix entre fruit et crème caramel.

CLIENT : Je prendrai un fruit.

MAÎTRE D'HÔTEL : Ah, j'ai oublié, il y a aussi de la salade de fruits.

CLIENT : Alors je prends la crème caramel.

Qui voudrait considérer comme logique ce client, dont la préférence entre fruit et crème caramel dépend d'une information extérieure, la disponibilité ou non de la salade de fruits ? Voilà pourquoi des étudiants malicieux ont rebaptisé le critère d'indépendance binaire en « critère de la crème caramel ».

La majorité absolue

Comme des enfants en face d'un prestidigitateur maladroit, nous pensons avoir deviné le point de faiblesse : si on se contente d'une majorité simple, rien d'étonnant à ce qu'on risque de faire plus de mécontents que de satisfaits, rien d'étonnant à ce que tant de conséquences indésirables se fassent jour.

La rectification va de soi : exigeons la majorité absolue !

Le problème est que la règle est alors impuissante à désigner le vainqueur, chaque fois qu'aucun candidat ne rassemble cette majorité absolue. Que faire alors ?

Une première idée consiste à voter à nouveau. C'est par exemple la règle qui permettait sous la Quatrième République la désignation du président de la République par le Congrès, et les plus anciens se souviennent peut-être de la voix du président de l'Assemblée nationale Le Troquer qui, douze fois de suite, annonça devant les micros de toutes les chaînes radiophoniques : « Aucun des candidats n'ayant obtenu la majorité absolue des suffrages exprimés, il y a lieu de procéder à un nouveau tour de scrutin. » Le règlement du prix *Interallié* prévoit que le lauréat doit recueillir la majorité absolue des suffrages, quel que soit le nombre de scrutins nécessaire. Ce type de procédure peut aussi s'appliquer lorsque est exigée une majorité qualifiée, c'est-à-dire une fraction déterminée (supérieure à 50 %) : dans l'Église catholique, selon la constitution apostolique *Vacantis Apostolicae Sedis*, l'élection d'un pape exige une majorité des deux tiers (plus un) des suffrages. Tant qu'elle n'est pas atteinte, les bulletins de vote sont brûlés dans le célèbre poêle de la chapelle Sixtine, mêlés d'un peu de paille humide pour produire une fumée noirâtre. Lorsqu'elle est atteinte, on brûle les seuls bulletins, produisant la fameuse *fumata* blanche chère au cœur des Romains.

Qu'est-ce qui peut faire aboutir la procédure ? En 1274, Grégoire X, dont l'élection avait demandé trente mois, décida que les cardinaux seraient enfermés en conclave jusqu'à l'élection ; c'est là une pression au moins morale, pour qu'on ne vote pas indéfiniment, ce qui n'a pas empêché le conclave de 1799 de siéger pendant trois mois et demi pour élire Pie VII.

Mais il est possible que la règle organisatrice prévoit une limite, ou une façon de sortir de l'indécision. Au prix Renaudot, après dix tours de scrutin infructueux, la voix du président devient prépondérante. Au Médicis, à partir du huitième tour, la majorité relative suffit. Le lauréat d'un des grands prix littéraires ou scientifiques de la Ville de Paris est élu à la majorité absolue aux trois premiers tours, à la majorité relative au quatrième.

Dans certaines élections politiques, c'est dès le deuxième tour que la majorité relative suffit.

Les scrutins à deux tours

Les Français sont familiers des scrutins à deux tours : au premier tour, on est élu si l'on a recueilli la majorité absolue (et le quart des inscrits), au second, la majorité relative suffit.

Dans un tel système, l'élément déterminant est de savoir qui peut se présenter au deuxième tour. Les pratiques sont très diverses.

Une règle radicale est utilisée pour l'élection française à la présidence de la République : le second tour se joue entre deux candidats seulement. Cela résulte de l'article 7 de la Constitution : « Seuls peuvent se présenter les deux candidats qui, le cas échéant après retrait de candidats plus favorisés, se trouvent avoir recueilli le plus grand nombre de suffrages au premier tour. » Plusieurs pays démocratiques ont adopté cette même pratique, tels l'Autriche, le Brésil, le Portugal. On voit bien l'avantage politique de cette règle : l'élu a forcément obtenu la majorité absolue des suffrages, ce qui lui confère naturellement une plus grande légitimité.

Mais sur le plan technique, le système n'aurait pas résisté longtemps au feu croisé des critiques de Condorcet et de Borda. Parodiant ce dernier, nous pouvons imaginer une élection présidentielle avec trois candidats, Andrew, Bruce et Carmen. Les électeurs se répartissent comme suit en fonction de leurs opinions :

35 % classent dans l'ordre :

Andrew	Carmen	Bruce

45 % classent dans l'ordre :

Bruce	Carmen	Andrew

20 % classent dans l'ordre :

Carmen	Andrew	Bruce

Au premier tour Carmen arrive troisième avec 20 % des voix et est éliminée, et au second Andrew l'emporte par 55 % des suffrages, puisque 55 % des électeurs le préfèrent à Bruce. Cependant, 65 % des électeurs préfèrent Carmen à Andrew (d'ailleurs, 55 % placent Carmen aussi devant Bruce, si bien que Carmen est en réalité un vainqueur à la Condorcet).

Dans d'autres élections, des règles différentes ont été édictées pour se présenter au second tour. Par exemple, la candidature peut être ouverte même à des candidats absents du premier tour : ce fut le cas pour la plupart de nos élections législatives de 1876 à 1936. Les élections présidentielles allemandes de 1925 et 1932 se déroulèrent selon cette même règle. Enfin, la candidature au second tour peut être réservée à ceux qui ont obtenu un certain minimum de voix au premier tour, ce seuil ne s'appliquant pas aux deux candidats arrivés en tête au premier tour. En France, pour se maintenir au second tour des élections législatives, il faut avoir obtenu 12,5 % du nombre des électeurs inscrits. Pour les élections cantonales, ce seuil est de 10 %, et c'est ce dernier nombre qui avait été retenu par le projet de réforme de 2003 pour les élections régionales. Après l'annulation pour vice de procédure par le Conseil constitutionnel, c'est finalement le seuil de 10 % des suffrages exprimés qui a été retenu.

Ces seuils, devant l'émiettement des suffrages, ne suffisent plus à limiter les triangulaires. Un rapport parlementaire déposé en juillet 2001 à l'appui d'une proposition de loi du député François Loos relevait que, aux élections législatives de 1993, quinze circonscriptions ont connu des triangulaires et que, en 1997, ce nombre était monté à 79. Pour les élections cantonales de 1998, sur 1 513 cantons où un second tour a dû être organisé, 314 ont connu une triangulaire et 13 une quadrangulaire. Comme cela a déjà été noté, ces situations donnent à un tiers parti, hors d'état de se faire élire, le pouvoir de trancher la décision. D'où la proposition du député de renoncer à l'idée de seuil et de ne laisser s'affronter au second tour que les deux candidats arrivés en tête. Il proposait, dans le même texte, de remédier à une autre bizarrerie de notre système, l'élection de candidats uniques. Un exemple montre ce qui peut se produire. Si les résultats du premier tour d'une élection législative sont, en pourcentage des inscrits :

- abstentions 30 %
- candidat socialiste 16 %
- candidat communiste 13 %
- candidat centriste 12 %

d'autres candidats se partageant les autres suffrages sans qu'aucun n'atteigne le seuil des 10 %, seuls les deux premiers candidats (socialiste et communiste) sont autorisés à se maintenir. Si le candidat communiste se désiste au profit du socialiste, ce dernier restera seul en lice. La situation est la même si aucun ou un seul candidat atteint le seuil : le désistement du deuxième n'autorise pas le troisième à se maintenir. Il y a donc dans ce cas un seul candidat présent au second tour. Cela est un peu déroutant pour l'électeur : aucun choix ne lui est présenté et il se demande pourquoi il doit se déplacer. Les abstentions sont d'ailleurs massives à de tels seconds tours. Aux législatives de 1997, douze sièges ont été pourvus dans ces conditions, et 32 aux cantonales de 1998.

Les seconds tours virtuels

Pour éviter aux électeurs de se déplacer deux fois et pour atténuer un peu les marchandages entre les deux tours de nombreux systèmes ont été imaginés, et certains essayés. La plupart consistent à demander aux électeurs de classer tous les candidats. On connaît alors le vote de second tour sans qu'il soit nécessaire de l'organiser. Imaginons par exemple la situation suivante, observée avec un taux d'abstention de 20 %. Un pourcentage par rapport aux exprimés de 30 % devient 24 % par rapport aux inscrits. Pour alléger l'écriture, nous désignons Arnaud, Brice, Caroline et Diane par leur initiale :

Ordre de préférences	Pourcentage par rapport aux suffrages exprimés des bulletins exprimant cet ordre	Pourcentage par rapport aux inscrits
ABCD	40 %	32 %
BACD	26 %	20,8 %
CDAB	22 %	17,6 %
DCBA	5 %	4 %
DBAC	7 %	5,6 %

Avec le seuil en vigueur aux législatives, D est éliminé (il ne recueille que 9,6 % des inscrits). Ses voix sont réaffectées en fonction des deuxièmes préférences de ceux qui l'avaient placé en tête, soit à C pour 5 % et à B pour 7 % et le tableau devient :

Ordre de préférences	Pourcentage par rapport aux suffrages exprimés des bulletins exprimant cet ordre
ABC	40 %
BAC	26 %
CAB	22 %
CBA	5 %
BAC	7 %

Le second tour donne alors :

A 40 % B 33 % C 27 %

On a ainsi remédié à la lourdeur de l'organisation d'un second tour, mais on n'a pas empêché les triangulaires. Si on applique la règle de la présidentielle au même exemple, seuls A et B peuvent se présenter au second tour. C et D sont éliminés et leurs voix sont réaffectées en respectant les préférences des électeurs entre ces deux candidats :

Ordre de préférences	Pourcentage par rapport aux suffrages exprimés des bulletins exprimant cet ordre
AB	40 %
BA	26 %
AB	22 %
BA	5 %
BA	7 %

de sorte que le second tour virtuel couronne A avec 62 % des suffrages.

L'avantage (ou l'inconvénient) d'un tel second tour virtuel est de ne pas autoriser les manœuvres d'entre deux tours, désistements négociés ou maintien sans autre espoir que de nuire à un candidat.

Le vote alternatif

Poussant la même logique jusqu'au bout, on arrive à la méthode d'élimination, appelée aussi vote alternatif. Elle ne limite pas les calculs à deux tours. On part toujours des mêmes données, les ordres de préférences des électeurs.

Si un candidat obtient la majorité absolue des premières préférences, il est élu. Sinon, le candidat qui a obtenu le moins de premières préférences est éliminé, et ses bulletins sont répartis en fonction des deuxièmes préférences. Ce processus de réallocation se poursuit jusqu'à ce qu'un candidat ait obtenu la majorité absolue, ce qui se produit nécessairement, au pire lorsqu'il ne reste que deux candidats en lice. Conservons le même exemple (page 34). La première opération est identique et permet d'éliminer D. Mais on observe les préférences pour le seond tour :

Ordre de préférences	Pourcentage des bulletins exprimant cet ordre
ABC	40 %
BAC	33 %
CAB	22 %
CBA	5 %

Les premières préférences deviennent alors :

A 40% B 33% C 27%

Aucun candidat n'a encore la majorité absolue. Le candidat C est éliminé, et on reprend les bulletins après l'avoir barré.

Ordre de préférences	Pourcentage des bulletins exprimant cet ordre
AB	40 %
BA	33 %
AB	22 %
BA	5 %

et le regroupement des bulletins devenus identiques donne :

A 62% B 38%

et A est le vainqueur.

Ce système fait toujours du vainqueur l'élu d'une majorité absolue. Il a été utilisé en Australie depuis 1919, tant au niveau fédéral qu'à celui des États. On lui a trouvé quelques qualités : les électeurs des « petits partis » peuvent s'exprimer sans que leur bulletin ne soit a priori un bulletin perdu. L'argument du « vote utile » qui incite certains électeurs à ne pas exprimer leurs véritables préférences devient inopérant. D'autre part, des partis alliés peuvent se présenter séparément sans affaiblir leurs chances : tant que l'un de leurs candidats n'est pas élu, leurs voix se cumulent pour contrarier l'élection d'un troisième larron.

Le paradoxe des dissimulateurs

Le vote alternatif a cependant un défaut : il n'encourage pas les électeurs à voter sincèrement. Le paradoxe des dissimulateurs met en lumière ce défaut.

Pour nous changer de la politique, imaginons un concours hippique où s'affrontent quatre chevaux, Padre, Queen, Reine, Sultan, dont les performances sont maintenant appréciées par un collège de cinquante experts. Ils expriment leurs opinions sur des bulletins de la façon suivante :

– Padre, Queen, Reine, Sultan, 17 experts
– Queen, Padre, Reine, Sultan, 13 experts

– Reine, Queen, Padre, Sultan, 12 experts
– Sultan, Reine, Queen, Padre, 8 experts

Au premier dépouillement, aucun concurrent n'obtient la majorité absolue des premières préférences ; on élimine donc le moins bien placé, Sultan, et la nouvelle répartition est :

– Padre, Queen, Reine, 17 experts
– Queen, Padre, Reine, 13 experts
– Reine, Queen, Padre, 12 + 8 = 20 experts

Nul n'obtient encore la majorité absolue des premières préférences, de sorte que le moins bien placé, Queen, est éliminé, et, au tour de dépouillement suivant, Padre est le vainqueur, par 30 préférences contre 20.

Supposons maintenant que les huit partisans de l'ordre Sultan, Reine, Queen, Padre, n'expriment que leur première préférence (en faveur de Sultan) et refusent de classer les autres candidats, leurs bulletins porteront seulement la mention : Sultan. Après l'élimination au premier tour de dépouillement de leur favori, leurs bulletins seront donc écartés et on se retrouve avec :

– Padre, Queen, Reine, 17 experts
– Queen, Padre, Reine, 13 experts
– Reine, Queen, Padre, 12 experts

Au second tour, Reine, qui a le moins de premières préférences, est écartée, et il reste :

– Padre, Queen, 17 experts
– Queen, Padre, 25 experts

de sorte que Queen l'emporte. En refusant d'exprimer leur préférence pour Queen à l'encontre de Padre, nos huit dissimulateurs ont en réalité favorisé cette préférence.

La situation n'est pas meilleure à l'égard de l'indépendance binaire. Reprenons l'exemple proposé page 25, 30 électeurs avec les préférences suivantes :

- Arnaud, Caroline, Brice, Diane, 3 votants
- Arnaud, Diane, Brice, Caroline, 6 votants
- Brice, Caroline, Diane, Arnaud, 3 votants
- Brice, Diane, Caroline, Arnaud, 5 votants
- Caroline, Brice, Diane, Arnaud, 2 votants
- Caroline, Diane, Brice, Arnaud, 5 votants
- Diane, Brice, Caroline, Arnaud, 2 votants
- Diane, Caroline, Brice, Arnaud, 4 votants

Au premier tour de dépouillement, Diane est éliminée, et le nouveau tableau des votes devient :

- Arnaud, Caroline, Brice, 3 votants
- Arnaud, Brice, Caroline, 6 votants
- Brice, Caroline, Arnaud, 3 + 5 + 2 = 10 votants
- Caroline, Brice, Arnaud, 2 + 5 + 4 = 11 votants

Au second tour de dépouillement, Arnaud est éliminé, et le nouveau tableau des votes devient :

- Caroline, Brice, 3 + 11 votants
- Brice, Caroline, 6 + 10 votants

et Brice l'emporte.

Imaginons maintenant qu'Arnaud se retire de la compétition. Le tableau des préférences s'obtient en barrant son nom de chaque bulletin, ce qui donne :

- Brice, Caroline, Diane, 3 votants
- Brice, Diane, Caroline, 5 votants
- Caroline, Brice, Diane, 5 votants
- Caroline, Diane, Brice, 5 votants
- Diane, Brice, Caroline, 8 votants
- Diane, Caroline, Brice, 4 votants

Au premier tour de dépouillement, Brice, qui a le moins de premières préférences est éliminé et les bulletins sont recomptés sans tenir compte de son nom, conduisant à :

– Caroline, Diane, 13 votants
– Diane, Caroline, 17 votants

de sorte que Diane est élue. Ainsi, en présence d'Arnaud, c'est Brice qui est élu, et, en son absence, c'est Diane. C'est là une propriété bien peu satisfaisante.

On a aussi critiqué le vote alternatif au motif que le choix du candidat à éliminer se fonde, non sur la mauvaise opinion que les électeurs auraient de lui, mais sur le petit nombre d'électeurs qui l'auraient classé en tête. Ce sont en effet des critères distincts. Reprenons l'exemple précédent à trois candidats :

Ordre de préférences	Pourcentage des bulletins exprimant cet ordre
Alex, Brice, Chloé	36 %
Brice, Chloé, Alex	31 %
Chloé, Brice, Alex	33 %

Aucun candidat n'obtient la majorité absolue des premières préférences, et il y a lieu d'éliminer un candidat. La victime toute désignée est Alex, car il est placé en queue de classement par 64 % des électeurs. On obtient alors un affrontement :

Brice, Chloé 67 % Chloé, Brice 33 %

et cette fois c'est Brice qui l'emporte.

Ces exemples sont très préoccupants. Car enfin, s'il s'agit de découvrir ce que veulent les électeurs, ce ne peut pas être Chloé (résultat du vote alternatif) et Brice en même temps (résultat de cette dernière procédure qui éliminait Alex). Mais nous ne sommes pas au bout de nos surprises.

Les scrutins plurinominaux

Dans un tel scrutin, plusieurs sièges sont en jeu dans chaque circonscription. Le système écrase les minorités encore plus fortement que dans le cas uninominal, puisqu'il faut, pour être élu, être majoritaire dans une bien plus grande circonscription. Si la population d'une ville représente l'essentiel de celle d'une circonscription législative, la popularité du maire peut suffire à le faire élire député. Mais, si l'on groupe plusieurs circonscriptions, en laissant inchangé le nombre des sièges, rien n'assure notre maire d'obtenir la majorité dans cette nouvelle circonscription.

En cas de listes bloquées (la liste majoritaire est élue tout entière), il n'y a pas de différence de nature avec un scrutin uninominal. C'est en pratique ce qui se passe pour la désignation des grands électeurs présidentiels aux États-Unis. Ce système est utilisé pour l'élection des députés à Djibouti et au Liban, et de presque tous les députés à Singapour, en Tunisie, en Équateur et au Sénégal. Dans certains pays, le système permet d'assurer une représentation ethnique équilibrée puisque les partis peuvent composer des listes de candidats issus de différentes ethnies. Les mêmes variantes et les mêmes interrogations peuvent se présenter que dans le cas des scrutins uninominaux (un tour ou deux, conditions de candidatures au second tour...).

En cas de candidatures individuelles, chaque électeur dispose d'autant de voix que de sièges à pourvoir, mais ne peut en attribuer deux au même candidat. Le système peut être utilisé avec un seul tour de scrutin (c'est le cas pour l'ordre des pharmaciens, déjà évoqué). Il peut l'être avec deux tours, comme pour les sénateurs français dans les départements qui ont deux sièges à pourvoir : au premier tour, il faut pour être élu avoir obtenu la majorité absolue des suffrages exprimés (et le quart des inscrits, ce qui en principe ne pose pas de problème, le vote des grands électeurs étant obligatoire). Au second, la majorité relative suffit. Il est naturellement possible qu'un siège soit pourvu au premier tour et l'autre au second.

En dehors de notre pays, le système plurinominal majoritaire est utilisé pour les élections législatives au Laos, en Thaïlande, aux Îles Maldives, aux Îles Fidji, au Koweït, à Maurice[3]. En Australie, de 1919 à 1946, les sénateurs ont été élus au scrutin plurinominal, dans des circonscriptions à trois sièges. La seule différence est qu'il ne s'agissait pas de scrutin majoritaire, mais du vote alternatif, présenté plus haut. Il est vrai que cette méthode d'élimination se prête bien au scrutin plurinominal : s'il y a trois sièges à pourvoir, on arrête le processus d'élimination dès qu'il ne reste que trois candidats.

Les votes limités

Dans ce système plurinominal, chaque électeur dispose de moins de voix qu'il n'y a de sièges à pourvoir : par exemple, s'il y a sept sièges, chaque électeur disposera de quatre voix (ou cinq...). L'intention est manifestement de ne pas donner tous les sièges au même parti qui viendrait à rassembler la majorité des suffrages. L'idée a été lancée au Parlement de Westminster par Mackworth Praed en 1831. Elle ne fut votée que lors de la réforme de 1867 pour celles des circonscriptions qui disposaient de trois sièges, chaque électeur ne disposant alors que de deux voix. Si les partis savent garder le contrôle des candidatures, le système fonctionnera sans surprise : les électeurs du parti majoritaire voteront pour les deux candidats de leur parti, mais, normalement, le troisième siège ira au parti adverse. Mais, si les dirigeants du parti majoritaire mesurent mal leur force électorale et présentent trois candidats, cela peut tourner au désastre, comme cela est arrivé à Leeds en 1874. Les suffrages étaient répartis ainsi :

Carter (libéral)	15 390	Wheelhouse (conservateur)	14 864
Baines (libéral)	11 850	Tennant (conservateur)	13 192
Lees (libéral)	5 994		

Malgré 33 234 suffrages au parti libéral, la règle majoritaire donne un seul élu libéral, le deuxième, M. Baines, se trouvant devancé par les deux conservateurs, dont le parti avec 28 056 suffrages emporte deux sièges. La faute des conservateurs est d'avoir présenté trop de candidats. Pour présenter trois candidats, un parti devrait être assuré du soutien de 60 % des électeurs et de la parfaite répartition des suffrages entre ses trois candidats.

Ce système est en vigueur depuis 1968 pour élire l'Assemblée des représentants à Gibraltar, où chaque électeur dispose de huit suffrages, alors qu'il y a quinze sièges à pourvoir. Conscients des risques du système, les deux partis qui se disputaient le scrutin de 1972 ne présentèrent que huit candidats chacun, pour les quinze sièges à pourvoir. La discipline des électeurs fit le reste : le parti majoritaire obtint huit sièges, et l'autre sept.

Un cas particulier de votes limités est en usage dans certains comités de nomination. Si les électeurs disposent d'une seule voix de moins qu'il n'y a de sièges à pourvoir, il revient au même pour eux de donner une voix à tous les candidats sauf un, ou de désigner celui qu'ils rejettent. C'est le vote d'élimination, qui permet d'ailleurs, si on le répète, d'éliminer le nombre de candidats nécessaire compte tenu du nombre de sièges à pourvoir.

Reprenons une fois de plus l'exemple proposé page 25, pour 2 sièges à pourvoir et 30 électeurs avec les préférences suivantes, dans lesquelles nous désignons chaque candidat par son initiale :

– ACBD	3 votants	– CBDA	2 votants
– ADBC	6 votants	– CDBA	5 votants
– BCDA	3 votants	– CBDA	2 votants
– BDCA	5 votants	– DCBA	4 votants

21 électeurs classent A en dernier, qui est donc éliminé au premier tour. Pour le second tour, les préférences sont :

– BCD	3 votants	– CDB	5 votants
– BDC	5 votants	– DBC	8 votants
– CBD	5 votants	– DCB	4 votants

et C et le plus mal classé par 13 électeurs, de sorte que B et D sont élus.

Le vote par approbation

Appelé aussi vote par consentement, ce système remonte au moins au XIIIe siècle, lorsqu'il fut utilisé à Venise pour l'élection de certains magistrats. Il est utilisé aujourd'hui dans certaines sociétés savantes, comme la *Mathematical Association of America*, l'*American Statistical Association*, l'*Institute of Electrical and Electronics Engineers*... La sélection des candidatures au poste de Secrétaire général des Nations unies se fait aussi selon cette méthode. Les candidatures sont individuelles et chaque électeur peut voter pour autant de candidats qu'il le souhaite, marquant ainsi son « approbation » de la candidature. Et l'on proclame élus celui ou ceux des candidats sur qui se sont portées le plus grand nombre d'approbations. Le procédé est donc utilisable aussi bien dans une circonscription où un seul siège est à pourvoir que dans le cas plurinominal.

Triste bilan

De cette présentation de systèmes de votes majoritaires, qui est loin d'être exhaustive, on retire une impression de malaise : sans que rien ne change dans les préférences des électeurs, le vainqueur est souvent différent d'un mode de dépouillement à un autre. Serait-ce le mode de scrutin qui, plus que les opinions des électeurs, déterminerait le résultat de l'élection ? Un des meilleurs théoriciens des modes de scrutin, le mathématicien américain Donald G. Saari aime à surprendre ses lecteurs ou ses auditeurs en leur déclarant en substance : « Moyennant d'honnêtes honoraires, laissez-moi questionner les membres de votre assemblée sur leurs préférences, et je me fais fort de vous proposer un système raisonnable de vote qui couronne le candidat de votre choix. » Bien entendu, Saari se vante un peu : si tous les participants ont exactement le même classement des candidats, il sera bien difficile de trouver un mode de scrutin *raisonnable* qui donne un classement différent. Le tout est de s'entendre sur le mot *raisonnable*. Nous avons rencontré diverses procédures, et chacune a des qualités « raisonnables » à l'égard d'une idée un peu vague que nous pouvons avoir sur une procédure méritant d'être qualifiée de démocratique. Chacune a aussi des défauts. D'où l'idée, dont le prix Nobel Kenneth Arrow fut l'un des premiers auteurs, de renverser la perspective. Au lieu d'imaginer sans fin des méthodes et d'examiner leurs qualités et leurs défauts, pourquoi ne pas dresser une liste de qualités jugées indispensables, puis de chercher toutes les méthodes qui les possèdent ? Appelons ces qualités des axiomes, et nous voilà dans un schéma de pensée familier aux mathématiciens, au moins depuis les *Éléments* d'Euclide, la construction axiomatique. Nous y reviendrons plus longuement.

CHAPITRE 2

La méthode de Borda

Réforme à la Fédération

Le 28 octobre 2002, Max Mosley, président de la Fédération internationale de l'automobile présentait le nouveau mode des classements des conducteurs de Formule 1. Pour chacun des rallyes homologués, la FIA accordera des points aux huit premiers arrivés, selon l'échelle suivante :

Classement	1	2	3	4	5	6	7	8
Points	10	8	6	5	4	3	2	1

En fin de saison, on calcule le total des points obtenus par chaque conducteur, et le classement est proclamé dans l'ordre décroissant des totaux.

Antérieurement à cette réforme, les attributions étaient les suivantes :

Classement	1	2	3	4	5	6
Points	10	6	4	3	2	1

Le but de la réforme est, selon le président Mosley, de « faire durer le suspense », en limitant l'avantage relatif du vainqueur d'un rallye : la compétition reste ouverte pour la suite du championnat. Tout cela est passionnant, objectera-t-on, mais quel rapport avec les modes d'élection ? Malgré la différence des situations concrètes, nous sommes bien dans un schéma d'agrégation de classements individuels (les classements des rallyes pris un à un) en un classement collectif. Dans une élection, nous avons des classements individuels (les listes dressées pour lui-même par chacun des électeurs), et le mode de dépouillement adopté doit établir un classement collectif unique qui reflète au mieux les préférences des électeurs. Pour mieux comprendre ce mécanisme, il nous faut remonter de plus de deux siècles en arrière.

Le chevalier de Borda

Éminent académicien, le chevalier Jean-Charles de Borda s'intéressa aux élections, et particulièrement à celles des nouveaux membres de l'Institut. Il ne s'était pas privé de souligner les défauts des systèmes de votes majoritaires.

Dans une note présentée à l'Académie des sciences le 16 juin 1770, il critiquait, comme on l'a expliqué (voir page 22), le vote à la majorité simple, en montrant, sur un exemple, un défaut selon lui rédhibitoire : alors que, si on opposait deux à deux tous les candidats, l'un d'eux pouvait sortir vaincu de tout duel (ce que nous avons appelé un vaincu à la Condorcet), il pouvait être celui qui remportait la majorité (relative) des suffrages.

La technique des comptes Borda

Devant ce qu'il considère comme une grave anomalie, Borda propose sa méthode. Chaque électeur classera les trois candidats selon le mérite qu'il leur attribue ; au décompte, on donnera trois points pour tout candidat classé en tête par un électeur, deux points pour tout candidat classé deuxième et un point pour toute place de troisième. On calcule le total de chaque candidat, ce qui fournit le classement général. Borda indiquait aussi que sa méthode est applicable s'il y a davantage de candidats : s'il y en a quatre, une place de premier vaudra quatre points, une place de deuxième trois points, une place de troisième deux points et une place de dernier un seul point.

Borda lui-même fait observer que sa méthode ne serait pas affectée par quelques changements de barème. Avec trois candidats, on aurait pu aussi bien accorder deux points pour une place de premier, un pour une place de deuxième, et rien du tout pour une place de troisième ; toutes les sommes auraient été diminuées d'un même nombre (égal au nombre des électeurs) et leur ordre n'en aurait pas été troublé. Borda a même proposé de compter un nombre a arbitraire de points pour une place de dernier, un nombre $a + b$ pour une place d'avant-dernier, $a + 2b$ pour le précédent et ainsi de suite jusqu'au premier qui se verrait donc accorder $a + (n - 1)b$ points dans le cas de n concurrents. Rien n'est modifié quant à l'ordre des totaux des candidats. Un peu plus tard, Laplace[1] proposait : « De là il suit que l'on peut écrire sur le billet de chaque électeur i à côté du premier nom, i-1 à côté du second, i-2 à côté du troisième, etc. En réunissant ensuite tous les nombres relatifs à chaque candidat, sur les divers billets, celui des candidats qui aura la plus grande somme doit être présumé le candidat qui, aux yeux de l'assemblée électorale, a le plus grand mérite, et doit par conséquent être choisi. »

On aurait pu tout aussi bien proposer de doubler toutes les attributions de points, ou de les tripler, toutes les sommes auraient été doublées ou triplées et leur ordre n'en aurait pas davantage été affecté.

Appliquant ce barème (2 points, 1 point, 0 point) à l'exemple rappelé à la page 23, Borda accorde 16 points à Arnaud, qui s'est vu 8 fois placé en tête, et 0 fois en deuxième place, 21 points à Brice pour ses 7 places de premier et ses 7 places de deuxième, et 26 à Caroline pour ses 6 places de premier et ses 14 places de deuxième. Le plus fort total est celui de Caroline qui doit donc être proclamée élue.

On voit bien l'intérêt de la méthode vantée par Borda sur les méthodes de vote majoritaire : le classement général prend en compte de manière beaucoup plus fine et complète les opinions des votants ; et il est bien vrai qu'un bulletin ne portant qu'un seul nom n'exprime qu'une partie du jugement et risque de conduire à un résultat qui mécontente la majorité des votants, comme dans l'exemple introductif de Borda.

Un autre mérite de la méthode de Borda est de désigner, non seulement le vainqueur, mais le deuxième, le troisième..., en somme un classement complet de tous les candidats. Cela permet de pourvoir si nécessaire plusieurs postes, ce qui se produit en particulier à l'Académie des sciences où des élections sont fréquemment regroupées lors d'une même séance. La méthode actuelle consiste à séparer artificiellement les élections, en demandant que la candidature soit déposée à un fauteuil particulier, elle conduit à de nombreuses manœuvres tacticiennes : « Si Untel avait été candidat à l'autre fauteuil, il aurait été élu... » Les universités ont le même problème lorsque plusieurs postes sont à pourvoir dans la même discipline. La réglementation en vigueur exige que les candidatures soient déposées pour un poste désigné (par un numéro de code), ce que les candidats tournent aisément en postulant à chacun des emplois vacants. Mais, du coup, c'est au sein des commissions de recrutement que sont reportées les incertitudes et les manœuvres : je voterais bien pour X au poste n° 1 si j'étais certain que Y soit élu au poste n° 2...

La méthode de Borda serait une façon de classer globalement les candidats ; elle fut d'ailleurs utilisée à l'Académie des sciences de 1784 à 1800, date à laquelle un nouvel académicien la critiqua violemment, ce qui conduisit à son abandon. Cet académicien s'appelait Napoléon Bonaparte. Un journal de l'époque raconte l'élection de Carnot[2], il s'agissait d'un seul siège à pourvoir : « Trois candidats s'étaient présentés au fauteuil vacant dans la section de Mécanique, Carnot (membre du directoire), Bréguet et Janvier. Chaque électeur écrivait le nombre 3 en face de son candidat préféré, 2 pour le candidat qu'il plaçait en deuxième, et 1 en face du nom du dernier candidat. Les nombres obtenus par chacun des candidats sont ensuite additionnés, et le plus fort total détermine l'élection. Carnot obtint 250 points, Bréguet 182 et Janvier 114. »

Les scores Borda de rang

Il peut être commode, lorsqu'on a plusieurs exemples à examiner successivement, d'utiliser des scores *croissants*. Ainsi, il n'est pas nécessaire de connaître le nombre de candidats avant de fixer le barème. Il est particulièrement simple d'accorder 1 point pour une place de premier, 2 pour une place de deuxième et ainsi de suite. Autrement dit, on additionne simplement les nombres égaux aux rangs de classement. Bien entendu, le vainqueur sera celui qui obtiendra le plus petit total. Ce sont les scores de rang, souvent plus intuitifs à utiliser.

Que donne la méthode sur l'exemple de Borda ?

	Points d'Arnaud	Points de Brice	Points de Caroline
1 électeur classant Arnaud, Brice, Caroline, attribue	1	2	3
7 électeurs classant Arnaud, Caroline, Brice, attribuent	7	21	14
7 électeurs classant Brice, Caroline, Arnaud, attribuent	21	7	14
6 électeurs classant Caroline, Brice, Arnaud, attribuent	18	12	6
total des points	47	42	37

Caroline est donc le vainqueur (plus petit total), suivie de Brice, puis d'Arnaud.

Qualités et défauts

Nous verrons plus loin quelques défauts de la méthode, mais il faut signaler quelques qualités, que Borda ne s'était d'ailleurs pas privé de souligner.

D'abord, elle fournit, comme cela a été signalé, non seulement un vainqueur, mais un classement complet des candidats. Ensuite, elle répond à la requête majeure de Borda, ne pas couronner un vaincu à la Condorcet. Borda ne l'avait pas prouvé en toute généralité, et c'est Daunou, archiviste de l'Empire en 1804, dont une rue de Paris et un théâtre perpétuent la mémoire, qui en donna la preuve en proposant un autre mode de calcul des scores. Le score Daunou se calcule ainsi pour un candidat *N.* :

Pour chaque bulletin de vote, accorder un point à N. chaque fois qu'un autre est inscrit plus bas que lui, et lui enlever un point chaque fois qu'un autre est inscrit plus haut que lui.

Sur l'exemple donné par Borda,

– chaque place de premier sur un bulletin donne 2 points (puisque deux candidats sont inscrits plus bas) ;

– chaque place de deuxième sur un bulletin donne 0 point (puisqu'un candidat est inscrit plus bas et un plus haut) ;

– chaque place de troisième sur un bulletin donne une attribution négative de – 2 points (puisque deux candidats sont inscrits plus haut).

Le total de points distribués par chaque électeur est donc 0, et le total général aussi. Comme un perdant à la Condorcet obtient un total négatif pour son score partiel face à tout adversaire (qu'une majorité lui préfère), il y a nécessairement un concurrent (au moins) qui obtient un total positif, si bien que notre perdant ne peut donc être classé en tête par la méthode de Borda.

Il y a d'ailleurs mieux sur l'exemple proposé par Borda. Le vainqueur qu'il propose, Caroline, si elle était opposée à Arnaud en duel, gagnerait par 13 voix contre 8, et, si elle était opposée à Brice, gagnerait aussi par 13 voix contre 8 : c'est donc un vainqueur à la Condorcet. Tiendrions-nous la méthode miracle qui, non seulement ne couronne jamais un perdant à la Condorcet, mais couronnerait systématiquement un vainqueur à la Condorcet s'il en est un ? Hélas, Condorcet lui-même, dans son volumineux ouvrage *Sur les Assemblées provinciales*, donne un contre-exemple. Observons, nous dit-il, une situation dans laquelle 30 électeurs classent trois candidats comme suit :

– 19 électeurs : Pierre, Paul, Jacques

– 11 électeurs : Paul, Jacques, Pierre

Condorcet tient pour manifeste que Pierre doit être désigné, et d'ailleurs, dans des duels, il bat chacun des autres candidats par 19 voix contre 11. C'est ce que nous avons appelé un vainqueur à la Condorcet. Mais la méthode de Borda, si l'on choisit les scores de rang par exemple, donne :

– 19 + 33 pour Pierre, soit 52 points

– 38 + 11 pour Paul, soit 49 points

– 57 + 22 pour Jacques, soit 79 points

C'est donc Paul qui est classé en tête, ce qui choque Condorcet qui conclut : « Ainsi, loin que cette méthode doive être préférée à la méthode commune, elle lui est inférieure. En effet, dans la première, on a seulement la crainte de s'être trompé, de se conduire d'après un résultat contraire au véritable vœu de la pluralité. Ici, on peut être sûr que le résultat est faux… »

Borda avant Borda

C'est un phénomène fréquent en mathématiques, pures ou appliquées, que les éponymies célèbrent à tort un savant, quelque estimable qu'il soit par ailleurs. Le théorème de Fermat a été démontré trois cent vingt-huit ans après que Fermat l'eut énoncé, le théorème de Pythagore était connu et utilisé plusieurs siècles avant Pythagore. Il en est de même pour la méthode de Borda.

En 1434, Nicolas de Cues[3] publia un volumineux traité *De l'harmonie catholique* dans lequel on trouve une explication de la façon dont doit être élu l'empereur du Saint Empire romain : « S'il y a dix candidats, on distribue à chaque électeur dix feuilles portant chacune le nom d'un candidat. Chaque électeur, avec l'aide d'un secrétaire s'il ne sait pas lire, place devant lui ces dix feuilles. Chacun pèse alors, en conscience, au nom de Dieu, celui des candidats qui lui paraît le moins apte, et marque d'un I le bulletin correspondant. Qu'il considère ensuite le moins apte des autres, et marque son bulletin d'un II. Qu'il continue ainsi, jusqu'au candidat qu'il juge le plus apte, dont il marquera le bulletin d'un X (ou de tout autre nombre qui serait le nombre des candidats). » Le cérémonial qui se déroule ensuite revient à additionner, pour chaque candidat, les nombres inscrits sur leurs bulletins, et à proclamer empereur celui qui obtient le plus grand total. Et Nicolas de vanter la méthode : « Beaucoup de défauts peuvent être évités, et en fait aucun défaut n'est plus possible. Aucune méthode d'élection ne pourrait être imaginée qui soit plus sainte, plus juste ou plus libre. Par ce moyen, si chaque électeur vote selon sa conscience, aucun autre résultat n'est possible que l'élection de celui qui, dans le jugement collectif de tous les participants, est estimé le plus digne. [...] Cette méthode prend en compte toutes les comparaisons entre candidats que chaque électeur peut faire. Malgré beaucoup d'efforts, je n'ai pu trouver une meilleure méthode, et vous pouvez tenir pour certain qu'une telle méthode n'existe pas. »

Au-delà de l'enthousiasme de l'auteur, nous reconnaissons exactement la méthode de Borda, décrite pour s'appliquer à un nombre quelconque de candidats. Plusieurs propriétés familières sont reconnues et décrites. Mais le texte de Cues est tombé dans l'oubli pendant plus de trois siècles, tout comme la méthode, si bien que Borda a pu estimer de bonne foi en être l'inventeur.

La défection d'un candidat

Revenons à notre siècle, pour décrire encore une propriété malheureuse de la méthode de Borda, que met en évidence l'exemple suivant. Il y a cette fois-ci quatre candidats, Arnaud, Brice, Caroline, et Diane, et sept votants dont les jugements sont ainsi répartis :

– Arnaud, Diane, Caroline, Brice	3 votants
– Brice, Arnaud, Diane, Caroline	2 votants
– Caroline, Brice, Arnaud, Diane	2 votants

Les scores de rang sont :

pour Arnaud : 3 + 4 + 6 = 13
pour Brice : 12 + 2 + 4 = 18
pour Caroline : 9 + 8 + 2 = 19
pour Diane : 6 + 6 + 8 = 20

et le classement résultant est :

Arnaud, Brice, Caroline, Diane,

(il s'agit de rangs : le vainqueur a le plus petit total).

Imaginons maintenant qu'Arnaud renonce (ou soit avéré inéligible…). Si l'information arrive avant le dépouillement, on barrera simplement Arnaud de chaque bulletin de vote. Les bulletins individuels deviennent :

– Diane, Caroline, Brice	3 votants
– Brice, Diane, Caroline	2 votants
– Caroline, Brice, Diane	2 votants

Les scores de rangs deviennent :

pour Brice : 9 + 2 + 4 = 15
pour Caroline : 6 + 6 + 2 = 14
pour Diane : 3 + 4 + 6 = 13

et le classement général devient : Diane, Caroline, Brice. Si en revanche l'information arrive après le dépouillement, la tentation est grande de retirer Arnaud du classement qui avait été proclamé (Arnaud, Brice, Caroline, Diane), ce qui donne Brice, Caroline, Diane.

Surprise : le classement des candidats Brice, Caroline et Diane se trouve inversé par le retrait d'Arnaud. Ainsi, une information extérieure à cet ensemble de trois candidats est susceptible de modifier leur classement. C'est une propriété qui nous jouera des tours à plusieurs reprises, et elle est connue sous le nom de *dépendance à l'égard des informations extérieures*.

Les méthodes à scores

Borda et Condorcet ne s'étaient pas privés d'examiner l'influence du nombre des points accordés pour chaque place. Borda pour noter que cela était heureusement indifférent au résultat, Condorcet pour déplorer la même chose : en modifiant les attributions de points, on ne pouvait décidément pas améliorer la méthode.

Après avoir mis en évidence quelques anomalies (selon lui) de la méthode de Borda, Condorcet ajoute : « On pourrait attribuer ces erreurs aux valeurs que nous nous proposons de donner aux premières, aux secondes, ou aux troisièmes [places] et croire que si [...] on eut pris d'autres nombres, on aurait eu le vrai résultat. Dans ce cas, on pourrait dire que ce n'est pas la méthode elle-même qui se trompe... »

Condorcet construit alors un nouvel exemple de trois candidats, que nous noterons comme lui par leur seule initiale A, B et C classés par 81 électeurs, avec les préférences suivantes :

– ABC	30 électeurs	– BAC	29 électeurs
– ACB	1 électeur	– BCA	10 électeurs
– CAB	10 électeurs	– CBA	1 électeur

Condorcet observe que A est préféré à B par 30 + 1 + 10, soit 41 électeurs sur 81 (et est aussi préféré à C par 60 électeurs), et devrait donc être élu « suivant la méthode commune » (dans notre langage, c'est un vainqueur à la Condorcet). Cependant, si par la méthode de Borda, une première place est cotée a points et une deuxième b points :

A reçoit $31a + 39b$ points
B reçoit $39a + 31b$ points
C reçoit $11a + 11b$ points

de sorte que C est dernier en tout état de cause, mais A n'est placé devant B qu'à la condition que :

$$31a + 39b > 39a+31b$$

ce qui n'est possible, un calcul simple le montre, que si b surpasse a, c'est-à-dire si l'on accorde plus de points pour une deuxième place que pour une première ! Cela discrédite, selon Condorcet, la méthode de Borda.

Avec notre langage, cela exprime simplement que la méthode de Borda ne reconnaît pas systématiquement le vainqueur éventuel de tous les duels, quels que soient les points attribués pour les différentes places.

À prendre un exemple limité à trois candidats, et à l'utiliser seulement comme un argument contre Borda, Condorcet a manqué une vraie généralisation de la méthode. En dehors du championnat du monde des conducteurs, toutes les échelles examinées depuis le début de ce chapitre sont des échelles régulières, attribuant des points selon les places :

x pour une place de dernier
$x+h$ pour une place d'avant-dernier
$x + 2h$ pour une place d'antépénultième

et ainsi de suite ; l'échelle que Condorcet utilise dans sa polémique ne l'est pas, puisqu'il accorde

0 pour une place de dernier
b pour une place de deuxième
a pour une place de premier

et cette échelle ne serait régulière que si a est la moitié de b, ce que Condorcet ne suppose pas. Mais, tout à son hostilité envers son confrère, il n'a pas exploré cette voie d'une méthode qui abandonnerait cette régularité.

Quelle que soit l'échelle adoptée, cela n'introduit aucune difficulté supplémentaire pour conduire le dépouillement. De façon précise, une *méthode à scores* est définie par une échelle de cotations, c'est-à-dire une suite de nombres a_1, a_2,... a_n... décroissante, et une règle d'attribution demandant à chaque électeur d'accorder :

– a_1 points pour une place de premier,
– a_2 pour une place de deuxième,
– ... et ainsi de suite.

On totalise pour chaque concurrent les points que lui a donnés chaque électeur (ou chaque rallye...) et l'ordre des totaux fournit le classement final. On croirait entendre le président de la Fédération internationale automobile.

Parmi les méthodes à scores, celles qui ont une échelle régulière sont identiques à la méthode de Borda.

La « perle rare » ?

Pourquoi choisir une méthode à scores autre que celle de Borda ? Il peut y avoir des raisons politiques, ou simplement d'audience télévisée, comme dans le cas de la FIA. Il pourrait y avoir des raisons logiques ou techniques : ne pourrait-on pas, par un choix judicieux des échelles, remédier aux défauts les plus gênants de la méthode de Borda ? Condorcet avait brièvement soulevé la question.

En 1974, étudiant axiomatiquement la méthode de Borda, H. P. Young a prouvé quelques résultats propres à décourager les inventeurs de nouvelles méthodes à scores. En effet, Young[4] a prouvé que, parmi les méthodes à scores :

– *La méthode de Borda est la seule à proclamer systématiquement* ex aequo *deux candidats tels qu'autant d'électeurs préfèrent le premier juste avant le second, ou le second juste avant le premier.*

– *La méthode de Borda est la seule pour laquelle le classement final de deux candidats ne dépend que du jugement des électeurs sur ces deux candidats.*

– *La méthode de Borda est la seule à interdire qu'un vainqueur à la Condorcet ne soit classé dernier.*

– *La méthode de Borda est la seule à interdire qu'un vaincu à la Condorcet puisse être classé premier.*

Les démonstrations de Young sont très simples, nous en donnons la première à titre d'illustration.

Imaginons que les cent adhérents d'une association culturelle veuillent classer des destinations de voyage pour leurs prochaines vacances. Parmi eux, cinquante classent consécutivement trois des destinations dans l'ordre Venise, Rome, Florence, et les autres dans l'ordre Florence, Rome, Venise. Ainsi, autant d'adhérents placent Rome devant Venise que l'inverse. Les rangs de nos trois villes peuvent être par exemple les rangs 3, 4 et 5. Au décompte des points,
Venise obtient $50a_3 + 50a_5$
Rome obtient $50a_4 + 50a_4$
S'ils sont *ex aequo*, c'est que :

$$2a_4 = a_3 + a_5$$

ce qui équivaut à :

$$a_4 - a_3 = a_5 - a_4$$

autrement dit, l'échelle est régulière (pour les trois rangs que nous avons pris arbitrairement en exemple) : c'est l'échelle de Borda.

Quant à la quatrième propriété, c'est celle que Borda lui-même avait mise en avant pour promouvoir sa méthode.

Les cas d'indifférence

Les méthodes à scores, et en particulier la méthode de Borda, sont parfaitement adaptables au cas où les électeurs classeraient deux ou plusieurs candidats *ex æquo*. Il suffit de partager entre eux les points correspondant aux rangs détenus. Par exemple, en scores de rang, un bulletin portant le classement

Djerba, Rome, (Venise-Florence), Bruxelles,

les parenthèses indiquant que Venise et Florence sont jugées équivalentes par cet adhérent, donnera lieu à des attributions (en prenant les rangs) :

Djerba : 1 point — Rome : 2 points — Venise : 3,5 points
Florence : 3,5 points — Bruxelles : 5 points

On peut observer que la façon dont Daunou avait proposé le calcul accepte parfaitement qu'un électeur laisse deux candidats *ex æquo*. En effet, pour un candidat, il fallait, à partir d'un bulletin de vote, lui accorder 1 point chaque fois qu'un autre candidat est inscrit plus bas que lui, et lui enlever 1 point chaque fois qu'un autre candidat est inscrit plus haut que lui. Un candidat inscrit au même rang donne alors 0 point. Les décomptes sont manifestement équivalents.

Les méthodes à scores acquièrent ainsi une propriété déjà signalée pour d'autres méthodes : l'universalité. Quels que soient les classements individuels faits par les électeurs, la méthode permet d'en tirer un classement collectif.

L'intensité des préférences

Par rapport à un ou plusieurs votes dans lesquels les candidats sont seulement opposés deux à deux, la méthode de Borda permet à chaque électeur d'exprimer une forme d'intensité de ses préférences, selon qu'il classe un candidat juste derrière ou loin derrière un autre.

Cependant la latitude ainsi offerte est assez limitée. Avec trois candidats, la méthode permet de donner 2 points, 1 point ou 0 point, et certains pourraient juger cette liberté bien encadrée : lors de la dernière élection présidentielle française, beaucoup d'électeurs de gauche avaient une préférence en faveur de Jospin par rapport à Chirac, et une forte préférence pour ces deux candidats contre Le Pen. À l'inverse, un électeur d'extrême droite pouvait avoir une forte préférence pour Le Pen, et loin derrière, une légère préférence pour Jospin par rapport à Chirac.

Déjà, en 1803, Daunou[5] avait observé cette rigidité. « Si je ne peux user que des nombres 1, 2 et 3 pour voter pour A, B ou C, certes, ces nombres peuvent exprimer l'ordre dans lequel je range ces candidats, mais ils ne peuvent exprimer l'intensité de mes préférences. Si par exemple je considère que A est cent fois meilleur que B et que C est seulement 1/10 000 pire que B, je devrais être autorisé à écrire :

A 100 B 1 C 0,9999. »

Et un peu plus loin dans la même note, Daunou insiste en observant qu'un électeur comme le précédent voit son influence pour départager A et B annulée par celle d'un autre électeur dont le vrai jugement aurait été reflété par :

B 100 A 99,99 C 1.

Mais, en matière électorale, les voix ne se pèsent pas, elles se comptent. À l'Assemblée générale de l'ONU, la Chine comme Saint-Marin disposent d'une voix. Ce n'est que dans d'autres domaines que nous avons pu observer des échelles non régulières, mais elles étaient fixées par le règlement et non laissées à la libre disposition des électeurs.

Ce dont en fait Daunou se faisait l'avocat, c'est d'un système qui nous est familier dans un tout autre domaine. Dans un concours administratif comme celui de l'ENA ou de lieutenants de police, dans un concours de grande école de commerce ou d'ingénieurs, les candidats passent plusieurs épreuves, et les notes qu'ils obtiennent à ces épreuves sont additionnées pour obtenir le classement général. Les notes obtenues dans une épreuve déterminée reflètent-elles simplement le classement attribué par le correcteur, la situation est très proche du mécanisme de Borda ; reflètent-elles un jugement plus nuancé, et nous voilà proches du rêve de Daunou.

Quelques déguisements

Il n'est pas toujours immédiat de reconnaître une méthode à scores dans certaines techniques particulières. Le cas le plus frappant est le vote à la majorité simple, lorsque chacun vote pour son préféré et seulement pour lui, et que le gagnant est celui qui a recueilli le plus de suffrages. En effet, on peut décrire ce système comme une méthode à scores qui donne 1 point pour une place de premier, et 0 pour toute autre place. Il en va de même pour le vote limité (voir page 43) : dans le système de Gibraltar, les sept premières places valent 1 point et les autres 0. Mais le vote d'approbation ne peut être rangé dans cette catégorie des méthodes à scores : en effet, il revient bien à attribuer 1 point aux premiers du classement et 0 aux derniers, mais le nombre de 1 est à la discrétion de chaque électeur.

Une variante a parfois été utilisée sous le nom de vote cumulatif. Elle a été utilisée en Afrique du Sud avant l'acte constitutionnel de 1909, en Grande-Bretagne pour l'élection des conseils de l'éducation des différents comtés (Education Act de 1870) et dans l'Illinois pour l'élection des représentants à la Chambre de l'État. Décrivons-la sur cet exemple. Le territoire était divisé en circonscriptions ayant droit chacune à trois sièges à la Chambre des représentants. Chaque électeur dispose de 3 voix, et peut, à son choix :

– les donner toutes à un seul candidat,

– choisir deux candidats et leur donner, soit 2 et 1 voix respectivement, soit 1,5 voix à chacun,

– en donner 1 à chacun des trois candidats (c'est l'équivalent d'un vote blanc, puisque les totaux des trois candidats se trouvent augmentés chacun de 1).

Il s'agit bien là d'une méthode à scores déguisée ; son intérêt est d'accorder une certaine place à des partis minoritaires. Son défaut est de faire une trop grande place au calcul manœuvrier des chefs de partis. En effet, ces derniers doivent évaluer le plus exactement possible le nombre de suffrages qu'ils peuvent rassembler, puis désigner le nombre adéquat de candidats, et enfin s'assurer qu'un candidat trop populaire n'attirera pas des suffrages en excès qui manqueraient à ses camarades de parti. Vaste programme, trop vaste même, et l'histoire britannique des conseils d'éducation est pleine d'erreurs de tactiques : à Birmingham, les Libéraux, largement majoritaires en voix, avaient tenté un jour de rafler les 15 sièges en jeu en désignant 15 candidats, et se retrouvèrent minoritaires au conseil. En 1909 à Glasgow, 40 000 voix en moyenne suffisaient pour être élu. L'un d'eux obtint 81 109 voix, et le plus mal élu 18 619 ; si les suffrages excédentaires du premier s'étaient portés ailleurs, la composition du conseil aurait été bien différente. Ces défauts majeurs ont fait le peu de succès de la méthode.

En résumé, la méthode de Borda remplit un certain nombre de conditions qu'on peut estimer heureuses :

• Elle est universelle : quelles que soient les opinions des électeurs, la méthode est utilisable (quitte à accepter des *ex æquo*).

• Les candidats sont traités de façon parfaitement symétrique.

• Chaque électeur est autorisé à exprimer son jugement sur les mérites relatifs de tous les candidats.

• Toutes les premières préférences sont évaluées de la même façon, toutes les deuxièmes aussi, mais à un poids moindre que les premières, et ainsi de suite.

• Dans la détermination du résultat du vote, toutes les préférences émises par chaque électeur sont prises en compte.

Mais la méthode, on l'a vu tout autant, présente aussi quelques défauts qui empêchent de la qualifier de « perle rare » !

CHAPITRE 3

Le défi au vainqueur

Si simple ou si complexe que soit un système de vote, on y trouve toujours un moment de vérité. Lorsque les dépouillements sont achevés, lorsque les bulletins sont comptés et recomptés selon la règle choisie, il vient un moment où le porte-parole du jury, en smoking s'il s'agit d'un Oscar ou d'un Lion d'or, annonce : « Et le vainqueur est... »

Certains membres du jury sont satisfaits : le vainqueur proclamé avait leur préférence. D'autres auraient préféré qu'un autre candidat l'emportât. Pour ne pas gâcher la fête, il importe que ces mécontents ne soient pas trop nombreux. C'est comme cela que, dans le chapitre, nous avons mis en évidence un paradoxe ou, à tout le moins, une bizarrerie : page 31, la méthode du vote majoritaire à deux tours couronnait Andrew, alors qu'une nette majorité aurait préféré Carmen. La situation la plus inconcevable serait une situation dans laquelle l'unanimité des électeurs serait mécontente. Inconcevable ?

Le paradoxe du tournoi

Un jury de 12 membres doit apprécier les performances de 4 chevaux dressés que nous connaissons bien, Padre, Queen, Reine et Sultan. Les jurés ont constitué leurs classements personnels, qui sont :

– pour 4 jurés : Padre, Sultan, Reine et Queen
– pour 4 jurés : Queen, Padre, Sultan et Reine
– pour 4 jurés : Reine, Queen, Padre et Sultan

Le président du club, qui se trouve être l'éleveur de Sultan, est bien ennuyé : son poulain est mal parti puisque l'unanimité des juges classe Padre devant lui. Mais, heureusement, il avait lu ce livre et ne se décourageait pas. D'un air compétent, il propose, selon la méthode du tournoi, de mettre au vote successivement :

1. Padre et Queen : 8 jurés sur 12 mettent Queen en tête ;
2. Le vainqueur de ce vote, Queen, contre Reine : 8 jurés sur 12 mettent Reine en tête ;
3. Et, au vote final, le vainqueur du précédent, Reine, contre Sultan : et, là encore, 8 jurés sur 12 placent Sultan en tête.

Devant des victoires si larges, nul ne songe à contester le résultat : Sultan est bien le meilleur ! Et pourtant, c'est à l'unanimité que les votants placent Padre devant Sultan !

On devine bien entendu l'influence déterminante de celui qui prépare la succession des votes (on dit aussi *l'agenda*). D'ailleurs, si le premier vote avait opposé Padre et Sultan, ce dernier aurait été éliminé à l'unanimité des suffrages !

Le respect de l'unanimité

Si naturelle que semble cette exigence, le respect des unanimités a des conséquences logiques inacceptables. C'est si stupéfiant que l'effort de suivre la démonstration sera largement récompensé.

Imaginons une situation où quatre électeurs doivent classer cinq candidats, Alex, Antoine, Bérénice, Charlotte, Douglas.

Les électeurs ont pour classement, respectivement :

- Alex, Antoine, Bérénice, Charlotte, Douglas,
- Douglas, Alex, Antoine, Bérénice, Charlotte,
- Charlotte, Douglas, Alex, Antoine, Bérénice,
- Bérénice, Charlotte, Douglas, Alex, Antoine.

Une définition provisoire : nous dirons que Pierre domine Paul si tous les électeurs sauf un placent le premier avant le second. Et nous déclarons un mode de dépouillement vicieux s'il lui arrive de mettre un candidat devant un autre qui le domine, autrement dit, un mode de dépouillement qui donne raison à un électeur contre tous les autres.

En observant les préférences de chaque électeur, on vérifie sans peine les affirmations suivantes :

– Antoine domine Bérénice,
– Bérénice domine Charlotte,
– Charlotte domine Douglas,
– Douglas domine Alex.

Pour Antoine et Alex, la situation est encore plus nette : c'est l'unanimité des électeurs qui préfèrent Alex à Antoine.

Sous peine d'être qualifiée de vicieuse, la règle de scrutin doit donner un classement général qui mette :

– Antoine devant Bérénice,
– Bérénice devant Charlotte,
– Charlotte devant Douglas,
– Douglas devant Alex.

Si nous supposons la méthode ordonnante, c'est-à-dire celle qui est supposée fournir un ordre de classement collectif, elle doit mettre en conséquence Antoine devant Alex ; mais cela est contraire à la volonté unanime des électeurs et nous place devant une contradiction.

Ce raisonnement montre que si l'on prétendait trouver un mode de scrutin qui classe les candidats en possédant les propriétés suivantes :

– universalité (les électeurs sont libres de leur choix),
– respect des unanimités,

ce mode de scrutin serait nécessairement *vicieux* : il existerait des cas où il donnerait raison à un seul électeur contre tous les autres.

On doit cette observation à Alfred MacKay, professeur de philosophie à Oberlin College [1].

Reconnaître un vainqueur à la Condorcet

Sans aller à des cas aussi extrêmes, une procédure qui peut, dans certaines circonstances, produire une majorité de mécontents reste préoccupante : lors de la dernière élection présidentielle, beaucoup d'observateurs estimaient que, si le second tour avait opposé Jacques Chirac et Lionel Jospin, ce dernier l'aurait emporté. Pourquoi se soumettre à l'un si une majorité lui préfère l'autre ? On répondra : Parce que la Constitution prévoit le scrutin majoritaire à deux tours. Mais une Constitution qui autorise de tels paradoxes ne devrait-elle pas être modifiée ?

Sans multiplier les exemples, on peut noter qu'un autre type de scrutin présente ce même défaut, le vote alternatif, qui a été présenté page 35. Par exemple, avec trois candidats et la répartition suivante :

Ordre de préférences	Pourcentage des bulletins exprimant cet ordre
Alex, Brice, Chloé	36 %
Brice, Chloé, Alex	31 %
Chloé, Brice, Alex	33 %

Au premier tour de dépouillement, Brice est éliminé. Son nom est barré, et les bulletins se répartissent alors entre :

Alex, Chloé 36 %   Chloé, Alex 64 %

Chloé est donc élue, alors qu'une majorité de 67 % (soit 36 % + 31 %) des électeurs placent Brice devant elle.

Dans le secret de son bureau, l'observateur, pour examiner l'éventualité de tels paradoxes, aimerait disposer des résultats de tous les duels, ce qui n'exige pas, nous l'avons vu, de faire voter plusieurs fois : il suffit que chaque électeur ait classé tous les candidats.

Cette information est précieuse ; en premier lieu, s'il existe un candidat que, majoritairement, les électeurs classent après tout autre, ce que nous avons appelé un *vaincu à la Condorcet*, cela se verra : il est vaincu dans tout duel qui l'oppose à tout autre candidat. Si cela se sait, il devient paradoxal de le couronner : c'est très exactement le risque que Borda reprochait au vote à la majorité simple. La méthode de Borda, nous l'avons vu, ne présente pas ce défaut.

En second lieu, s'il existe un candidat que, majoritairement, les électeurs préfèrent à tout autre, ce que nous avons appelé un *vainqueur à la Condorcet*, cela se verra aussi : il est vainqueur de tout duel qui l'oppose à tout autre candidat. Si cela se sait, il devient inconfortable d'en couronner un autre. Cette fois, la méthode de Borda est prise en défaut : nous avons vu, Condorcet l'avait déjà signalé, qu'elle peut ne pas reconnaître un vainqueur à la Condorcet. De nombreux auteurs ont proposé des méthodes capables de reconnaître un vainqueur à la Condorcet.

L'effet Condorcet

Revenons au début de ce chapitre, lorsque nous rêvions d'avoir sous les yeux les résultats de tous les duels. Rêve imprudent, car il risque de mettre en évidence des cas pathologiques.

Il n'est pas nécessaire de multiplier les opérations de vote pour cela. Si, comme dans les exemples qui précèdent, chaque électeur a dressé la liste de ses préférences, nous disposons de tous les éléments nécessaires pour faire ces comparaisons. Une présentation anecdotique va faire voir le problème qui peut alors surgir. Trois centrales syndicales sont représentées dans une commission réunie pour examiner l'équilibre des régimes de retraite.

La démographie étant ce qu'elle est, trois hypothèses sont envisageables :

COT : augmenter les cotisations,
RET : diminuer les retraites,
ALL : allonger les carrières.

La CFG, qui représente 40 % de la commission préfère dans l'ordre :

COT RET ALL

La CTG, qui représente 32 % de la commission préfère dans l'ordre :

ALL COT RET

La CFT, qui représente 28 % de la commission préfère dans l'ordre :

RET ALL COT

C'est le moment de voter. Que préférez-vous, augmenter les cotisations ou diminuer les retraites ? Votent pour la première hypothèse la CFG et la CTG, soit 72 % de la commission. Aux oubliettes la baisse des retraites.

Et si, plutôt qu'augmenter les cotisations, on allongeait les carrières ? Cette idée est soutenue par la CTG et la CFT, soit 60 % de la commission. Oublions les augmentations, il y a une nette majorité pour l'allongement des carrières.

Mais la CFG, dont c'est la pire hypothèse revient à la charge : allongement des carrières ? Pourquoi pas plutôt la baisse des retraites ? Et en effet la proposition, soutenue par la CFG et la CFT, est adoptée par 68 % des membres.

Nous voici dans une situation où le vote majoritaire produit un cycle : la prétendue « préférence collective » est intransitive (on dit aussi : *cyclique*), la majorité préférant augmenter les cotisations plutôt que baisser les retraites, allonger les carrières plutôt qu'augmenter les cotisations et pourtant baisser les retraites plutôt qu'allonger les carrières.

Cette situation est connue sous le nom d'*effet Condorcet*, ou paradoxe de Condorcet. Il y a bien là un paradoxe, que Condorcet lui-même avait relevé après avoir présenté un exemple de même nature[2] : « Il est évident que ces trois propositions ne peuvent pas être vraies en même temps, puisque des deux premières, et en général de deux quelconques admises ensemble, résulte nécessairement une conséquence contradictoire avec la troisième. »

Heureusement, le paradoxe de Condorcet ne se produit pas systématiquement. Par exemple, s'il existe un candidat préféré à chacun des autres (un vainqueur à la Condorcet), le paradoxe ne se produit pas pour lui. Il y a même des cas où le paradoxe ne se produit pas, bien qu'il n'existe pas de vainqueur à la Condorcet. En voici un exemple :

- ABC 6 votants
- BAC 6 votants

- CAB 2 votants
- CBA 2 votants

Les candidats A et B, lorsqu'ils sont comparés à C l'emportent largement (6 voix contre 2), mais aucun des deux ne l'emporte sur l'autre.

On voit bien la situation de contestation permanente : quelle que soit l'hypothèse proclamée comme la préférence collective, une majorité (une forte majorité dans notre exemple syndical) en aurait préféré une autre. On a dit que les résultats font apparaître un cycle, ou un *effet Condorcet*. C'est pour refuser ces cas que, dans certaines présentations, on parle de méthode ordonnante, c'est-à-dire de méthode qui fournit un ordre de classement : c'est le vocabulaire choisi plus haut pour présenter le paradoxe de MacKay.

Nombreux sont les auteurs qui ont placé en tête de leurs exigences l'obligation de couronner un vainqueur à la Condorcet s'il en existe : ainsi, la cérémonie ne risque pas d'être troublée par trop de mécontents. Mais tout l'art de celui qui imagine une telle méthode est de ne pas provoquer d'autres paradoxes qui offenseraient la logique, à défaut de troubler l'ordre public. Beaucoup s'y sont essayés, avec des réussites inégales.

La méthode de Dodgson

À la fin du XIXe siècle, Charles Dodgson, professeur de mathématiques dans un college d'Oxford, Christchurch College, s'était intéressé aux procédures en vigueur pour la cooptation de nouveaux professeurs, et avait observé la plupart des paradoxes que nous avons cités[3]. C'était un passionné de logique, et il s'était déjà fait connaître, sous le pseudonyme de Lewis Carroll, par ces contes pour enfants qui mettent en avant tant de questions de pure logique : *Alice au pays des merveilles, De l'autre côté du miroir, La chasse au snark*. Dodgson, dans sa recherche d'une « bonne » méthode, est parti d'une idée simple : s'il y a un vainqueur à la Condorcet, c'est-à-dire un vainqueur de tous les duels, il doit être désigné par la méthode ; s'il n'y en a pas, on regarde combien chacun doit convaincre d'électeurs pour devenir un tel vainqueur. Celui qui a le moins de « conversions » à obtenir doit être désigné comme le vainqueur. Par « conversion », on entend dans ce décompte une inversion du classement de deux candidats consécutifs sur un bulletin de vote. Ainsi, pour convaincre un électeur dont les préférences sont dans l'ordre

1. Alan 2. Bob 3. Charles

de voter plutôt

1. Alan 2. Charles 3. Bob

Charles doit obtenir une conversion. S'il faut le convaincre de voter

1. Charles 2. Alan 3. Bob

il doit en obtenir deux, une pour permuter l'ordre (Bob, Charles), l'autre pour permuter ensuite l'ordre (Alan, Charles).

Pour appliquer concrètement sa méthode, Dodgson avait proposé de dresser un tableau carré afin d'y noter les résultats de tous les duels. Voyons cela sur un exemple. Cinq candidats Alain, Brice, Chloé, David et Emilio se présentent devant une commission de 19 membres. Les opinions des commissaires sont les suivantes :

- 5 classent Alain, Chloé, David, Brice, Emilio,
- 8 classent Brice, Alain, David, Emilio, Chloé,
- 2 classent Chloé, Alain, Brice, Emilio, David,
- 4 classent Chloé, Emilio, Brice, Alain, David.

Le tableau indique le nombre de votants préférant le candidat classé en tête de ligne au candidat classé en tête de colonne. Par exemple, la case marquée * comporte le nombre 13 car 13 électeurs placent Alain devant Chloé.

	Alain	*Brice*	*Chloé*	*David*	*Emilio*
Alain		7	13*	19	15
Brice	12		8	14	15
Chloé	6	11		11	11
David	0	5	8		13
Emilio	4	4	8	6	

Naturellement ce tableau présente une certaine symétrie : si 15 électeurs placent Alain devant Emilio, les 4 autres placent Emilio devant Alain. Les cases symétriques de part et d'autre de la diagonale contiennent systématiquement des nombres dont la somme est 19.

Chaque ligne figure en quelque sorte le plan de travail du candidat marqué en tête de ligne. La majorité absolue étant de 10 voix, chaque fois qu'il obtient contre un concurrent 10 voix ou davantage, il n'a rien à faire. Si sa ligne ne comportait que des nombres au moins égaux à 10, il serait le vainqueur de tout duel et n'aurait rien de plus à faire. En cas de nombre inférieur à 10, il va devoir obtenir quelques conversions.

Observons la ligne d'Alain.

Alain		7	13*	19	15

Pour qu'il devienne un vainqueur à la Condorcet, il faudrait que ceux qui le préfèrent à Brice soient au nombre de 10, et pas seulement de 7. Alain observe la liste des préférences, et remarque que 12 électeurs classent Brice juste devant lui : il lui suffit d'en convaincre 3 pour avoir ses 10 voix.

On ajoute une dernière colonne à ce tableau, dans laquelle on inscrit le nombre de conversions nécessaires, 3 dans le cas d'Alain.

	Alain	*Brice*	*Chloé*	*David*	*Emilio*	*conversions nécessaires*
Alain		7	13*	19	15	3
Brice	12		8	14	15	
Chloé	6	11		11	11	
David	0	5	8		13	
Emilio	4	4	8	6		

Observons le cas de Brice.

Brice	12		8	14	15

Pour qu'il devienne un vainqueur à la Condorcet, il faudrait que ceux qui le préfèrent à Chloé soient au nombre de 10, et pas seulement de 8. Brice observe la liste des préférences, et les choses se présentent moins bien pour lui, car aucun électeur ne place Chloé juste devant lui. Il lui faudra donc convaincre deux électeurs, par exemple les deux qui classent

Chloé, Alain, Brice, Emilio, David,

de permuter leur avis entre lui-même et Alain, puis entre lui-même et Chloé. Il a donc besoin de 4 conversions, et c'est un 4 que nous inscrirons dans la dernière colonne.

Le détail des calculs pour Chloé est laissé au lecteur (4 inversions de préférence lui sont nécessaires), et nous observons qu'il n'est même pas utile de faire les calculs pour David et Emilio, qui, à l'évidence, auraient bien plus de 4 électeurs à convaincre.

Nous repartons alors du tableau avec sa dernière colonne complétée. Alain, qui n'a besoin que de 3 conversions, alors que tous ses concurrents en ont besoin de davantage, est donc déclaré vainqueur par la méthode de Dodgson. Bien entendu, s'il existe un vainqueur à la Condorcet, il n'a nul besoin de se mettre en campagne pour obtenir des interversions de préférences, et il est donc couronné sans calculs.

La méthode de Fishburn

En 1973, Peter Fishburn a proposé une variante de la méthode de Dodgson, dans laquelle on compte une seule conversion pour l'échange de deux noms sur un bulletin de vote, que ces noms soient consécutifs ou séparés par d'autres candidats. Avec cette méthode, Brice n'a besoin que de deux conversions (l'échange avec Chloé par deux des électeurs déjà repérés) ; il est donc le vainqueur.

On voit bien ce qui a poussé Fishburn à proposer cette variante. Les calculs exigés par la méthode de Dodgson demandent de prendre en compte, non seulement le nombre des électeurs qui classent (par exemple) Brice devant Chloé, mais encore le fait qu'ils intercalent ou non d'autres candidats entre eux. La méthode ne possède donc pas la propriété d'indépendance à l'égard des informations extérieures (le critère de la crème caramel, voir page 27). Le mode de calcul proposé par Fishburn n'a pas ce défaut.

Mais Dodgson ou Fishburn, il faut bien voir qu'il n'y a pas de miracle. L'une comme l'autre de ces méthodes détecte un vainqueur à la Condorcet lorsqu'il existe, et, s'il n'existe pas, demande à quelques électeurs de changer d'opinion. C'est presque du Jarry : si le résultat des élections ne vous convient pas, il faut changer le peuple !

La méthode du tournoi

Nous en avons dit bien du mal à diverses reprises. Mais du moins, s'il existe un vainqueur à la Condorcet, la méthode du tournoi le couronnera. En effet, cette méthode n'exige pas qu'on observe tous les duels, mais, à l'évidence, chaque concurrent participe au moins à un des duels. Le vainqueur à la Condorcet gagne le premier duel auquel il participe, et se trouve qualifié pour le suivant, et ainsi de suite jusqu'au duel final, qu'il remporte. Il est donc le gagnant du tournoi.

De là à écrire un plaidoyer inconditionnel pour cette méthode, il y a une grande marge, et c'est Lewis Carroll qui avait soulevé le lièvre. À l'été 1882, un de ses amis s'était plaint à lui à propos d'un tournoi de tennis : il avait été éliminé dès les premiers tours et se plaignait de voir le deuxième prix attribué à un joueur qu'il estimait très largement inférieur à lui. Les tournois étaient organisés à l'époque comme ils le sont aujourd'hui : un tirage au sort détermine les joueurs qui s'affrontent en un premier tour, les battus sont éliminés et les vainqueurs s'opposent entre eux de la même manière. Carroll construisit un exemple avec 32 joueurs : certes, le premier prix allait au meilleur, mais le deuxième allait au 17e joueur, le troisième au 9e et le quatrième au 25e !

L'exemple de Carroll est d'une simplicité confondante, mais les organisateurs de tournois conservent imperturbablement leur technique. Imaginons, écrit Carroll, les joueurs numérotés de 1 à 32 par niveaux décroissants. Aux éliminatoires, on fait jouer le joueur n° 1 contre le n° 2, le joueur n° 3 contre le joueur n° 4 et ainsi de suite. Chaque joueur de rang impair est opposé à un joueur plus faible que lui et l'élimine. Sont donc qualifiés pour les seizièmes de finale les joueurs n°s 1, 3, 5, 7,... 31.

On fait alors jouer le joueur n° 1 contre le n° 3, le joueur n° 5 contre le joueur n° 7 et ainsi de suite. Les vainqueurs sont donc les joueurs n°s 1, 5... (les rangs suivants s'obtiennent par additions successives de 4) qui sont admis aux huitièmes de finales. On peut ainsi continuer le tournoi :

1			
5	1		
9		1	
13	9		
17			1
21	17		
25		17	
29	25		

Bien entendu, il y a dans cet exemple des simplifications outrancières : on tient pour acquis qu'il existe un ordre de classement des 32 participants, autrement dit que si un joueur A est « meilleur » que B et si B est « meilleur » que C, alors A est « meilleur » que C. L'actualité sportive fournit des exemples contraires à chaque saison. On tient aussi pour acquis que, si un joueur est « meilleur » qu'un autre, il le bat à chaque rencontre, ce qui est bien souvent démenti. Mais l'exemple vaut comme critique de la méthode du tournoi : si elle sait identifier le meilleur joueur, elle devient parfaitement arbitraire pour les suivants du classement.

La méthode de Copeland

Elle se fonde sur un tout autre type de calculs. Au vu de la liste de tous les duels, on compte pour chaque candidat 1 point par duel gagné, on lui enlève 1 point par duel perdu. Par exemple, dans un championnat sportif, on peut convenir que le score d'une équipe est simplement la différence entre le nombre de matches gagnés et le nombre de matches perdus (les matches nuls comptent pour 0 dans ce total). On classe ensuite les candidats en fonction des scores décroissants. Cette méthode détecte évidemment, parmi n candidats, un éventuel vainqueur de tous les duels : son score est de $n - 1$, et n'importe quel autre candidat a un score inférieur puisqu'il ne peut pas, lui aussi, gagner tous les duels. Des variantes de la méthode de Copeland sont utilisées aux États-Unis par les ligues de football et de hockey sur glace.

Bien entendu, s'il n'y a pas de vainqueur à la Condorcet, la méthode couronne quand même un candidat, mais le candidat couronné par la méthode de Copeland peut être défié et battu en duel par un autre candidat. La raison en est logique et évidente : si nul ne pouvait le défier avec succès, il serait vainqueur à la Condorcet. Cette situation, comme celle de notre scrutin présidentiel majoritaire à deux tours, n'est pas sans inconvénient.

La méthode de Nanson

On a vu que la méthode de Borda peut ne pas couronner un vainqueur à la Condorcet (voir page 57), c'est-à-dire un candidat jugé majoritairement préférable à chacun des autres. Si on estime essentiel qu'une méthode de vote reconnaisse un tel vainqueur chaque fois qu'il en existe, on peut modifier la méthode de Borda en tenant compte d'une autre de ses propriétés : elle ne place jamais en fin de classement un vainqueur à la Condorcet.

À la fin du XIXe siècle, Edward John Nanson, professeur de mathématiques à l'Université de Melbourne, a proposé une procédure nouvelle [4]. Tenant pour essentiel qu'une méthode détecte et couronne un éventuel vainqueur à la Condorcet, il condamne pour ce motif quelques méthodes connues à l'époque : la majorité simple, le système français de la majorité à deux tours, le système de Borda, le vote alternatif (voir page 35). Il s'appuie sur une remarque déjà formulée par Daunou, selon laquelle même si la méthode de Borda peut ne pas détecter un vainqueur à la Condorcet, au moins ne le classe-t-elle pas en dernier (voir page 56). Nanson propose alors la procédure suivante : on élimine le dernier du classement, puis on refait le dépouillement, autant de fois qu'il est nécessaire pour déterminer le vainqueur. Ce dernier étant déterminé, on recommence pour déterminer le deuxième du classement général, et ainsi de suite. S'il y a un vainqueur à la Condorcet, il n'est jamais éliminé, et se retrouve donc en tête de classement.

Cette méthode est parfois appelée aussi « méthode de Borda par éliminations ». En fait, Nanson proposait une forme abrégée de ce processus : il élimine à chaque étape, non le seul dernier du classement, mais tous ceux qui ont un score Borda inférieur à la moyenne. Dans l'article cité, Nanson reconnaissait que sa méthode

« était bien trop compliquée pour servir dans des élections politiques majeures ».

La méthode de Black

Un siècle après Nanson, Duncan Black[5] a proposé une modification élémentaire de la méthode de Borda, qui permet de couronner un vainqueur à la Condorcet s'il en existe un. C'est tout simplement de faire le dépouillement en deux temps : dans un premier temps, on recherche un éventuel vainqueur à la Condorcet, et c'est seulement s'il n'en existe pas qu'on utilise la méthode de Borda. L'idée est simple, pour ne pas dire simpliste, mais ingénieuse. Elle pourrait s'appliquer à n'importe quelle méthode souffrant du même défaut, l'incapacité à reconnaître un vainqueur à la Condorcet s'il existe. Il suffit de décider d'une procédure en deux phases :

a) s'il existe un vainqueur à la Condorcet, le désigner comme vainqueur ;

b) à défaut, appliquer la méthode d'Untel.

La difficulté vient du fait que d'autres propriétés, que nous avons jugées désirables, risquent de n'être plus satisfaites.

La méthode de Doolittle

Autant l'avouer d'entrée de jeu, la méthode de Doolittle n'est pas encore inventée. Nous n'en inventons que le nom. Mais elle possède des propriétés intéressantes. D'abord, à partir des classements individuels, quels qu'ils soient, elle fabrique un classement collectif : c'est une méthode ordonnante. Ensuite, elle respecte les avis unanimes des électeurs : si tous placent un candidat devant un autre, le classement collectif fera de même. Enfin et surtout, elle est insensible à un éventuel défi au vainqueur : le classement collectif est conforme aux classements deux à deux ; on peut exprimer cela en disant que le vainqueur d'un duel n'est jamais classé après celui qu'il a battu.

Hélas, il a été démontré que la méthode de Doolittle n'existe pas. La preuve est élémentaire, et nous la présenterons au chapitre suivant, car c'est une conséquence immédiate du théorème d'Arrow.

Les questions de monotonie

La monotonie est une autre qualité que beaucoup souhaitent dans une méthode électorale. Si un candidat progresse dans l'opinion de certains électeurs sans baisser dans l'opinion d'autres, cela ne devrait en aucun cas pouvoir lui porter préjudice. On imagine mal un candidat demander à quelques électeurs de le classer plus mal pour accroître ses chances !

Il est une autre façon de voir la monotonie. Si elle fait défaut, les opérations de vote sont manipulables : les partisans d'un candidat peuvent avoir intérêt à ne pas voter selon leurs vraies préférences, pour que leur candidat favori s'en trouve mieux classé. De nombreuses méthodes souffrent de ce défaut. Le scrutin majoritaire à deux tours, avec la possibilité de « triangulaires » au second tour, est bien connu pour ce défaut. Explicitons cette situation, même dans le cas où seuls deux candidats sont admis au second tour. Imaginons que trois candidats s'affrontent, et que les électeurs les classent comme suit :

34 % socialiste	communiste	droite unie
31 % droite unie	socialiste	communiste
20 % communiste	droite unie	socialiste
15 % communiste	socialiste	droite unie

Au premier tour, socialiste et communiste sont en tête (34 et 35 % respectivement), le candidat de la droite unie est éliminé et, au second tour, le socialiste l'emporte par 65 % des suffrages. Imaginons que les militants socialistes parviennent à convaincre les 15 % qui placent le communiste juste devant leur candidat de « voter utile » et de se joindre aux 34 % qui classent dans l'ordre :

socialiste communiste droite unie

Au premier tour, le candidat communiste est éliminé et au second tour le candidat de la droite unie l'emporte par 51 % des voix. Et voilà comment le peuple le plus cartésien du monde désigne ses députés et son président de la République !

De même, si désirable que soit la monotonie, quelques autres méthodes simples en sont dépourvues. Observons d'abord que la méthode de Borda est bien monotone : si un candidat est seul à améliorer son rang dans l'esprit, ne serait-ce que d'un seul électeur, il est le seul à augmenter son score Borda et son classement final s'en trouve amélioré. Il en est de même de la méthode de la majorité simple. En revanche :

1) *La méthode de Dodgson n'est pas monotone*. Conservant notre exemple, avec ses 19 votants partagés entre 5 candidats (page 81). Imaginons maintenant que le groupe formé de 2 votants se range à l'ordre *Alain, Chloé, Brice, Emilio, David*. Autrement dit, ces 2 votants, sans rien changer au reste de leurs opinions, font passer *Alain* devant *Chloé*. La campagne d'*Alain* se trouve facilitée face à *Chloé*, mais cela ne lui sert à rien car il la battait déjà par 13 voix contre 6. Mais observons le candidat *Brice* : il battait, et il bat toujours, *Alain* par 12 voix contre 7, il battait, et il bat toujours, *David* par 14 voix contre 5, et il battait, et il bat toujours, *Emilio* par 15 voix contre 4. Il était battu par *Chloé*, car seulement 8 votants le préféraient à *Chloé*. Comme aucun ne le classait juste derrière *Chloé*, il avait au moins quatre conversions à obtenir : deux électeurs faisant chacun deux permutations. Mais dans la nouvelle situation, il se trouve que deux électeurs classent *Chloé* juste devant *Brice* ; il suffit donc de deux conversions et la méthode couronne *Brice*. Ainsi, *Alain* a gagné des partisans, et est passé du statut de vainqueur à celui de battu !

2) *La méthode de Nanson n'est pas monotone*

Observons l'exemple suivant, avec 3 candidats à un poste de secrétaire général d'une institution européenne. L'un est allemand, le deuxième belge et le troisième croate. Le vote se fait par pays, ils sont 37, et leurs préférences se répartissent comme suit :

Ordre de préférences	Nombre de votants
allemand, belge, croate	10
allemand, croate, belge	4
belge, allemand, croate	4
belge, croate, allemand	8
croate, allemand, belge	8
croate, belge, allemand	3

Quels sont les scores Borda ? Pour un calcul simple, nous donnons 2 points pour une place de premier et 1 pour une place de deuxième (rien pour une place de troisième).

– Le candidat allemand qui est 14 fois premier et 12 fois deuxième obtient un score de 40.

– Le candidat belge qui est 12 fois premier et 13 fois deuxième obtient un score de 37.

– Le candidat croate qui est 11 fois premier et 12 fois deuxième obtient un score de 34.

Ainsi, au premier tour, le candidat croate est éliminé. La méthode de Nanson demande qu'on procède à un second tour. Il ne reste que deux candidats, et nous nous retrouvons avec un tableau simplifié, dans lequel 22 votants préfèrent l'Allemand au Belge et 15 le contraire. C'est donc le candidat allemand qui est désigné.

Supposons alors que, par excès de zèle, les diplomates allemands gagnent quelques partisans pour leur compatriote de la façon suivante :

– les 3 électeurs ayant pour classement (croate, belge, allemand) se convertissent à l'ordre (croate, allemand, belge) ;

– 3 des 4 électeurs ayant pour classement (belge, allemand, croate) se convertissent à (allemand, belge, croate).

Le nouveau tableau est désormais :

Ordre de préférences	Nombre de votants
allemand, belge, croate	13
allemand, croate, belge	4
belge, allemand, croate	1
belge, croate, allemand	8
croate, allemand, belge	11

On calcule avec la même échelle les scores :

– Le candidat allemand qui est 17 fois premier et 12 fois deuxième obtient un score de 46.

– Le candidat belge qui est 9 fois premier et 13 fois deuxième obtient un score de 31.

– Le candidat croate qui est 11 fois premier et 12 fois deuxième obtient un score de 34.

C'est le candidat belge qui est éliminé, et on se retrouve avec un tableau simplifié dans lequel 18 pays placent le candidat allemand en tête et 19 le croate. C'est donc ce dernier qui est désigné.

Une fois encore, le vainqueur, ayant converti quelques votants de plus, perd sa couronne au profit d'un autre candidat. Méfiez-vous de vos amis.

Si l'intertitre n'avait pas déjà servi, on serait tenté d'écrire encore « Triste bilan » à la fin de ce chapitre. Quelques méthodes de vote, quelques exigences d'une logique élémentaire, et bien souvent des incompatibilités, que résume le tableau ci-après :

Méthode	Reconnaît un vainqueur de Condorcet s'il existe	Ne couronne jamais un vaincu à la Condorcet s'il existe	Gagner des partisans ne peut jamais nuire
Black	oui	oui	oui
Borda	non	oui	oui
Copeland	oui	oui	oui
Dodgson	oui	non	non
Fishburn	oui	non	non
Nanson	oui	oui	non
Majorité simple	non	non	oui
Majoritaire à deux tours	non	oui	non
Poule	oui	oui	non

Jusqu'à présent, la méthode « parfaite » ne figure pas dans ce tableau. Aurions-nous manqué d'imagination ? Les choses ne sont hélas pas si simples.

CHAPITRE 4

Arrow : les mélanges détonants

Ce chapitre est le seul qui va demander une certaine concentration logico-mathématique au lecteur. Certes, on ne fait appel à aucune connaissance mathématique antérieure, mais il y a des enchaînements logiques à parcourir et cela demande un certain effort. Néanmoins, à s'approprier ces raisonnements, on trouvera quelque chose de roboratif en songeant que celui qui en a ouvert la page il y a soixante ans a été récompensé d'un prix Nobel. Il s'appelait Kenneth Arrow.

La démarche proposée par Arrow renverse celle suivie par ces prédécesseurs, les Borda, Condorcet et Carroll : ces auteurs jaugeaient les méthodes en vigueur à l'aune de certaines qualités que nous avons évoquées plus haut, comme l'insensibilité au défi au vainqueur, le respect des opinions unanimes, etc. Puis ils proposaient leur propre méthode, indemne du défaut souligné. Naturellement, peu après, un autre auteur découvrait un défaut à la proposition de son confrère, et ainsi de suite.

Une démarche *à la Arrow* n'observe aucune méthode particulière de façon privilégiée mais dresse une liste de qualités du système qui seront estimées indispensables. Par exemple, on peut juger que la décision sortie des urnes doit respecter l'avis des électeurs s'il leur arrive d'être unanimes. On peut estimer inacceptable la présence d'un dictateur, c'est-à-dire d'un électeur dont le choix coïncide systématiquement avec le choix collectif...

Pour nous mettre en bouche, comme dit un serveur dans un restaurant à la mode, un premier exemple élémentaire va montrer ce type de démarche en action.

Le théorème de May

Il s'agit du cas très simple de deux candidats. Face à une motion ou à une candidature, un électeur peut avoir trois attitudes :

F (favorable), D (défavorable), B (vote blanc).

Quelques propriétés évidentes du vote majoritaire peuvent alors être énoncées.

1) *Universalité*

Le décompte des voix est évidemment possible quels que soient les votes. Il y a toujours une conclusion : un des candidats est déclaré vainqueur, ou le « match nul » se déduit de l'exact partage.

2) *Anonymat*

Toute permutation des suffrages laisse le résultat inchangé. Autrement dit, le résultat reste le même si des électeurs échangent leur bulletin avant de le glisser dans l'urne ; il ne dépend pas de la réponse à la question « qui vote quoi ? ». C'est une qualité si familière que nous ne pensons plus aujourd'hui à la mentionner ; ce sont les formules bien connues « les voix ne se pèsent pas, elles se comptent », ou même « un homme, une voix ».

3) *Neutralité*

Si tous les électeurs (sauf ceux qui votent blanc) changent d'avis, le résultat s'en trouve inversé. Il est indifférent de soumettre au vote la question : « Approuvez-vous le projet ? » ou : « Rejetez-vous le projet ? » Ceux qui répondaient *oui* à la première question répondent *non* à la seconde et vice versa. Dans l'atmosphère réfléchie d'un vote solennel, précédé d'une campagne d'explications, cette propriété paraît elle aussi assez naturelle, même si l'histoire de certaines assemblées retient des cas de confusion, lorsqu'il s'agit de rejeter une motion de rejet ! Par exemple, à l'Assemblée nationale, voter oui à la « question préalable » signifie rejeter le texte proposé.

4) *Croissance stricte*

Si, dans une situation, l'avis favorable l'emporte ou s'il y a égalité, et si un des électeurs se ravise et modifie son vote en faveur de cet avis, passant du vote hostile au vote blanc ou du vote blanc au vote favorable, c'est à nouveau l'avis favorable qui gagne ; autrement dit, un vote suffit en cas d'égalité à faire pencher la balance, et un vote favorable de plus ne nuit jamais au vainqueur.

Jusqu'ici, la révolution annoncée dans la façon de raisonner n'a pas eu lieu : nous partons d'une méthode familière, nous en mettons en évidence quelques propriétés. Il semble que ce soit là des banalités. Mais Kenneth May a démontré[1] que ces quatre propriétés suffisent à *caractériser* le vote majoritaire : si une procédure les vérifie toutes, elle est identique au vote majoritaire.

Démonstration

À cause de la propriété d'anonymat, le résultat du vote ne dépend que du nombre N (F) d'électeurs favorables et du nombre N (D) d'électeurs défavorables. Le nombre de ceux qui votent blanc, s'il devait avoir quelque importance, serait facile à calculer en connaissant le nombre total des électeurs.

Supposons qu'il y ait autant d'électeurs favorables que d'électeurs défavorables. Quel est le résultat du vote ? Imaginons que chaque électeur, favorable ou défavorable, se convertisse à l'opinion opposée ; à cause de la propriété de neutralité, le résultat du vote est inversé. Mais chacun aurait pu s'épargner la rédaction d'un second bulletin en échangeant son bulletin avec un électeur d'avis opposé, ce qui, à cause de la propriété d'anonymat, ne change pas le résultat final. Quel est donc cet étrange résultat qui est le même que le résultat contraire ? Ce ne peut pas être un vote favorable, et pas davantage un vote défavorable, c'est donc une égalité.

Si dans un nouveau scrutin, un des électeurs défavorables se convertit au vote blanc, ou si un électeur ayant voté blanc se rallie à l'avis favorable, à cause de la croissance stricte, le résultat ne peut être que favorable.

Il est ainsi prouvé qu'il y a avis favorable lorsque

$$N(F) = N(D) + 1$$

On en déduirait le même résultat lorsque

$$N(F) = N(D) + 2$$

et ainsi de suite[2], en un mot que l'avis est favorable pourvu que N (F) > N (D), ce qui est très exactement la définition du vote majoritaire.

Au passage, notons un résultat qui resservira sous peu : dans toute méthode de vote possédant les propriétés d'anonymat et de neutralité, le partage égal des votes conduit à classer les deux options *ex æquo*.

En revanche, il est assez simple d'imaginer d'autres procédures qui vérifient toutes les propriétés listées sauf une. Par exemple :

1) Si on omet la première condition, la règle qui proclame élu celui qui a au moins autant de voix que son adversaire vérifie, comme on le voit aisément, les trois autres conditions, anonymat, neutralité et croissance stricte. Mais la situation dans laquelle les électeurs sont exactement partagés entre les deux candidats est hors du champ de cette règle, car elle couronne alors l'un et l'autre.

2) Si on omet la deuxième condition, la règle qui donne un vote double au président de séance vérifie, comme on le voit aisément, les trois autres conditions. Il est possible de conclure dans tous les cas ; la procédure est neutre et un partisan de plus ne peut jamais desservir un candidat.

3) Si on omet la troisième condition, la règle de majorité qualifiée (par exemple celle qui exige les deux

tiers des suffrages) vérifie à nouveau les autres propriétés. Plutôt que de devoir réunir les deux tiers des suffrages, tout candidat préférerait se voir élu, de préférence à un adversaire qui n'aurait pu réunir les deux tiers des suffrages. Mais, à nouveau, l'anonymat et la croissance stricte de cette procédure sont manifestes, et l'universalité est acquise, pourvu qu'on proclame le match nul si aucun candidat n'a obtenu la majorité requise.

4) Si on omet la quatrième condition, la règle du « qui perd gagne » qui proclame élu celui qui a moins de voix que son adversaire vérifie, comme on le voit encore aisément, les trois autres conditions.

Comme les qualités mises en avant par May paraissent de pur bon sens, la question semble tranchée en faveur du vote majoritaire.

Trois candidats ou plus

Une pareille conclusion peut sembler au moins prématurée à qui a lu le chapitre 3. La procédure du vote majoritaire présente un défaut important : il est des cas où une majorité (une majorité très large dans l'exemple qui a été présenté) préfère augmenter les cotisations plutôt que baisser les retraites, une autre majorité tout aussi large préfère allonger les carrières plutôt qu'augmenter les cotisations et une troisième préfère baisser les retraites plutôt qu'allonger les carrières. La préférence collective est cyclique ; nous avons appelé cette situation l'*effet Condorcet*.

Les préférences cycliques

L'effet Condorcet donne au vote majoritaire un fort parfum d'illogisme. Une majorité peut se dégager pour préférer a à b, b à c et c à a. Un cycle peut d'ailleurs comporter plus de trois éléments et il n'est pas plus satisfaisant qu'une méthode oblige à préférer
a_1 à a_2 et a_2 à a_3 et... a_{n-1} à a_n
et pourtant a_n à a_1.

Cette notion de cycle est liée à celle, déjà rencontrée à plusieurs reprises, de *vainqueur à la Condorcet*. On se souvient qu'un vainqueur à la Condorcet est un candidat qui l'emporte systématiquement lorsqu'il est opposé séparément à chacun des autres. On peut alors démontrer que : *S'il n'existe pas de vainqueur à la Condorcet, alors il existe au moins trois candidats formant un cycle.*

La démonstration est un bon exemple de cette sorte de raisonnement.

S'il existe un candidat a_i qui est battu (au vote majoritaire) par chacun des autres, éliminons-le.

S'il existe un candidat a_j qui est battu (au vote majoritaire) par chacun des autres sauf a_i, éliminons-le à son tour.

...

Au bout de l'exercice, il nous reste au moins trois candidats.

En effet, s'il n'en restait que deux, celui des deux que la majorité préfère serait un vainqueur à la Condorcet.

Nommons a_x, a_y, a_z, a_t... les candidats restants. Chacun d'eux bat au moins un des autres (sinon il aurait lui aussi été éliminé), et est battu par au moins un des autres (sinon il serait un vainqueur à la Condorcet).

Prenons l'un d'eux, par exemple a_x et écrivons à sa suite l'un des candidats qu'il bat, par exemple a_y et ainsi de suite. Comme tout candidat en bat au moins un autre, il n'y a pas de raison que cette chaîne s'arrête, ou, plus exactement, un moment viendra où l'on aura à écrire un candidat figurant déjà dans la chaîne. Nous avons ainsi montré l'existence d'un cycle.

Certes, même avec le vote majoritaire, l'effet Condorcet ne se produit pas systématiquement ; par exemple, si les électeurs classent unanimement les candidats dans un certain ordre, le vote majoritaire produira le même classement. Il n'est pas trop difficile d'analyser entièrement le cas de trois candidats pour examiner la source du problème.

Pour une première analyse rapide, nous supposerons un nombre impair de votants tous capables de classer les trois candidats avec des préférences strictes, c'est-à-dire sans jamais exprimer une indifférence. Dans ces conditions, on ne peut pas obtenir d'*ex aequo*.

Désignons nos candidats par *a, b* et *c* et utilisons des notations telles que *[ab]* pour désigner le nombre d'électeurs classant *a* devant *b*, et *[abc]* pour le nombre des électeurs ayant pour ordre de classement *a, b, c*. Quelles relations doivent vérifier ces nombres pour qu'un cycle apparaisse ? Le cycle peut être :

$$a > b > c \qquad \text{ou} \qquad a < b < c$$

Le premier cycle apparaît si :

$$[ab] > [ba] \text{ et } [bc] > [cb] \text{ et } [ca] > [ac]$$

et le second si les relations opposées sont vérifiées. Examinons la première de ces inégalités. En observant que :

$$[ab] = [abc] + [acb] + [cab] \qquad \text{et}$$
$$[ba] = [bac] + [bca] + [cba]$$

la première inégalité s'écrit :

$$[abc] + [acb] + [cab] > [bac] + [bca] + [cba]$$

En procédant de façon analogue, on transforme la deuxième et la troisième inégalité respectivement en :

$$[abc] + [bac] + [bca] > [acb] + [cab] + [cba]$$
$$[bca] + [cab] + [cba] > [abc] + [acb] + [bac]$$

Ajoutons membre à membre, d'une part les deux premières inégalités, d'autre part la première et la dernière, et enfin les deux dernières. On obtient :

$$[abc] > [cba] \qquad [cab] > [bac] \qquad [bca] > [acb]$$

Nous avons donc établi que, s'il y a un cycle, ces trois inégalités (ou les trois inégalités opposées, naturellement) sont vérifiées. Un des cas dans lesquels ces trois inégalités ne peuvent à l'évidence être satisfaites est celui où l'un des trois nombres *[abc], [cab], [bca]* est nul. On s'assure que la conjonction des trois inégalités inverses sont aussi exclues en supposant nul l'un des trois nombres *[cba], [bac], [acb]*.

Deux conditions à vérifier, chacune comportant trois possibilités : voilà déjà neuf cas dans lesquels un cycle est assurément impossible. Ce qui est intéressant, c'est que chacun de ces neuf cas a une interprétation politique simple. Par exemple, le cas

$$[abc] = 0 \qquad \text{et} \qquad [bac] = 0$$

exprime que l'unanimité s'accorde à ne pas classer c en

dernier. Dressons un tableau donnant les interprétations des neuf cas en question.

	[abc] = 0	*[bca]* = 0	*[cab]* = 0
[acb] = 0	Aucun électeur ne classe *a* en tête	Aucun électeur ne classe *c* médian	Aucun électeur ne classe *b* dernier
[bac] = 0	Aucun électeur ne classe *c* dernier	Aucun électeur ne classe *b* en tête	Aucun électeur ne classe *a* médian
[cba] = 0	Aucun électeur ne classe *b* médian	Aucun électeur ne classe *a* dernier	Aucun électeur ne classe *c* en tête

Ce tableau met en évidence une idée simple : s'il y a un certain accord entre les électeurs, on peut éviter l'apparition de cycles. C'est donc l'universalité qui est mise en question : il faudrait empêcher les désaccords trop vifs entre électeurs !

Ce que nous pouvons désormais tenir pour assuré, c'est que, si l'on s'en tient à la règle majoritaire, ou, ce qui revient au même, si l'on exige les quatre qualités de May, un effet Condorcet risque de se produire.

Le théorème de MacKay

Ce théorème, qui a été présenté au chapitre 3, est une bonne façon d'observer le poids de la contrainte visant à éliminer tout effet de préférence cyclique. Il s'agit de se limiter aux procédures ordonnantes, c'est-à-dire qui produisent un classement ordonné des candidats, avec cette évidence que si Carmen est préférée à Andrew et Andrew à Bruce, alors Carmen est préférée à Bruce.

Exactement dans notre démarche actuelle, MacKay posait des qualités estimées nécessaires ; il voulait une procédure ordonnante capable d'agréger des préférences arbitraires des électeurs et possédant la propriété d'unanimité : si tous les électeurs classent x devant y, il doit en être de même du classement résultant. Avec ces seules hypothèses, nous avons vu qu'une telle règle est *vicieuse*, dans le sens suivant : il existe des cas où un électeur préfère x à y, tous les autres préfèrent y à x, et le classement résultant place x devant y. Il est loisible de reformuler ce résultat en un théorème d'impossibilité : si on exige qu'une procédure

a) permette de classer l'ensemble des candidats,

b) respecte les cas d'unanimité : si tous les électeurs placent un candidat devant un autre, le classement sorti des urnes reflète ce même classement,

c) ne soit pas vicieuse, en ce sens qu'il n'arrive jamais qu'un classement entre deux candidats voulu par tous les électeurs sauf un ne soit pas reflété à l'issue de scrutin,

il n'existe aucune procédure de vote satisfaisant à ces trois conditions.

Le théorème de Hansson

Ce théorème est surprenant et intéressant en ce qu'il permet de mesurer la force de ces « qualités de base » qu'on aurait pu croire anodines, comme les petits caractères en bas d'un contrat de téléphone mobile. Björn Hansson[3] a examiné les procédures de vote pour laquelle on exigerait les propriétés suivantes :

1) *L'anonymat*
Déjà présentée plus haut, cette qualité indique que le résultat reste le même si des électeurs échangent leur bulletin avant de le glisser dans l'urne.

2) *La neutralité*
Elle aussi déjà présentée, cette qualité indique que si tous les électeurs (sauf ceux qui votent blanc) changent d'avis, le résultat s'en trouve inversé.

3) *L'indépendance par rapport aux informations extérieures*
C'est la propriété du choix du dessert, qui a été présentée page 27. Si un client préfère un fruit à une crème caramel, sa préférence ne peut pas s'inverser simplement parce qu'un troisième dessert est disponible.

On prouve d'abord, à l'aide de ces seules qualités, qu'en cas de partage égal des voix entre deux candidats, une telle règle les classe *ex æquo*, ce qui n'est pas très surprenant. Cette démonstration a été faite un peu plus haut à propos du théorème de May. Reprenons-la de manière plus illustrée avec le vocabulaire d'un exemple concret, tel que le choix par le CIO (Comité olympique international) d'une ville pour les futurs jeux Olympiques.

Pour traduire le classement fait par un électeur entre deux villes, nous utiliserons des notations abrégées

Pékin > Melbourne s'il classe Pékin devant Melbourne
Pékin ≈ Melbourne s'il classe Pékin et Melbourne *ex æquo*
Pékin < Melbourne s'il classe Pékin après Melbourne
On utilise les mêmes notations pour décrire le résultat sorti des urnes.

Entre deux villes candidates, la règle de dépouillement doit donner une relation *R*, nous ignorons pour l'instant si *R* est >, ≈ ou <.

Examinons ce qu'il advient si le CIO se partage exactement entre Pékin et Melbourne. Prenons garde à la vieille déformation, qui nous ferait conclure trop vite à l'« évidence » que, si autant de membres classent Pékin devant Melbourne que Melbourne devant Pékin, il y a égalité entre ces villes : ce serait vrai si la procédure de vote avait été spécifiée comme celle du vote majoritaire. Mais il n'est pas question de cela, nous avons ici une procédure inconnue, dont nous savons seulement qu'elle vérifie les trois conditions de Hansson. Un petit raisonnement est donc indispensable.

Rien n'étant impossible à la parité militante, on peut imaginer que le CIO comporte exactement autant d'hommes que de femmes. Imaginons que les hommes classent Pékin devant Melbourne, et les femmes Melbourne devant Pékin. Que savons-nous de certain sur le classement de ces villes qui résulte du vote ?

Si chaque électeur change d'avis, à cause de la neutralité de la règle, le comité doit inverser son classement. Mais, comme il y avait autant d'électeurs en faveur d'une des villes que de l'autre, la composition de l'urne est inchangée et, d'après la règle d'anonymat, le résultat du dépouillement doit être inchangé.

Ainsi, le classement résultant est identique au classement résultant renversé. Cela exclut (Pékin > Melbourne) tout autant que (Pékin < Melbourne) et la seule possibilité est (Pékin ≈ Melbourne). Il est ainsi à nouveau *démontré* que, en cas de partage égal des voix, le résultat est un classement *ex æquo* des deux villes candidates.

Un peu plus surprenant : nous allons prouver la même conclusion si l'un des membres du CIO est absent au moment du vote : il y a donc un nombre impair d'électeurs et le partage est « presque égal ». Imaginons une situation dans laquelle il y a un homme de moins que de femmes, disons n hommes et $n+1$ femmes, et telle que

- tous les hommes classent :

  Pékin > Melbourne > Athènes
- toutes les femmes sauf deux classent :

  Athènes > Melbourne > Pékin
- une femme classe : Athènes > Pékin > Melbourne
- et une autre classe : Melbourne > Athènes > Pékin

Quelle est la situation relative de Pékin et Melbourne ? Pékin est en tête dans l'esprit des hommes et d'une femme, soit $n+1$ électeurs. Pour les autres, qui sont au nombre de n, c'est le contraire. Entre ces deux villes candidates, la règle de dépouillement doit donner une relation R, nous ignorons pour l'instant si R est >, ≈ ou <.

Pékin R Melbourne

Mais, à cause de la neutralité et de l'indépendance par rapport aux informations extérieures à ces deux villes, chaque fois qu'une ville, quelle qu'elle soit, aura $n+1$ partisans et l'autre n, il en résultera cette même relation R.

Quelle est la situation relative d'Athènes et de Pékin ? Athènes est en tête dans l'esprit des femmes, soit

n +1 électeurs. Pour les hommes, qui sont au nombre de n, c'est le contraire. C'est exactement la situation précédente, et, en vertu de la propriété rappelée de neutralité, la règle de dépouillement donnera la même relation :

Athènes R Pékin

Quelle est la situation relative de Melbourne et Athènes ? Melbourne est en tête dans l'esprit des hommes, et d'une femme, soit n +1 électeurs. Pour les autres, qui sont au nombre de n, c'est le contraire. C'est exactement la situation précédente, et, encore au nom de la neutralité, la règle de dépouillement donnera la même relation :

Melbourne R Athènes

Nous avons donc établi les trois relations :

Pékin R Melbourne
Athènes R Pékin
Melbourne R Athènes

C'est évidemment impossible si la relation R est > ; si le CIO préfère strictement Pékin à Melbourne et Melbourne à Athènes, il préfère strictement Pékin à Athènes et non le contraire : n'oublions pas que la procédure est supposée ordonnante. De même, la relation R ne peut être <, et il ne reste qu'une possibilité, que R soit ≈, l'indifférence.

Ainsi, chaque fois que n électeurs préfèrent une ville à une autre et n +1 préfèrent le contraire, le dépouillement aboutit à classer ces villes *ex æquo*.

Jusqu'ici, même si la lecture exige un peu d'attention, rien de bien étonnant. Avec un peu de formalisme, nous avons donné une démonstration d'un phénomène qui ne surprend pas, ou guère : si les électeurs se partagent par moitié (ou presque par moitié, c'est déjà un petit peu plus étonnant), le classement collectif marque l'indifférence entre les deux candidats ainsi opposés.

La suite du raisonnement est nettement plus surprenante ; nous allons prouver que chaque fois que l'unanimité des électeurs classe un candidat devant un autre, le dépouillement va proclamer ces deux candidats *ex æquo* !

Là encore, il faut distinguer un collège électoral en nombre pair, et un collège en nombre impair.

Premier cas : le CIO est au complet. Imaginons une situation dans laquelle
• tous les hommes classent :

Pékin > Melbourne > Athènes

• toutes les femmes classent :

Athènes > Pékin > Melbourne

Il y a partage égal des partisans entre Pékin et Athènes, et, d'après la démonstration précédente, le CIO les classe à égalité. Il y a partage égal des partisans entre Athènes et Melbourne, et d'après la démonstration précédente, le CIO les classe à égalité. Mais ces deux égalités entraînent que Pékin et Melbourne sont elles aussi classées à égalité, alors que l'unanimité des membres préfère Pékin à Melbourne ! D'après la propriété d'indépendance par rapport aux informations extérieures, cela doit se produire indépendamment de la présence d'Athènes, ou de son absence, ou de l'avis des électeurs à son sujet : l'unanimité préfère Pékin à Melbourne et le vote aboutit à l'indifférence entre ces villes.

La démonstration est analogue, dans le cas d'un nombre impair d'électeurs, nous pouvons garder l'exemple du CIO avec un homme absent au moment du vote.

Imaginons une situation dans laquelle

- tous les hommes (au nombre de n) classent :

Pékin > Melbourne > Athènes

- toutes les femmes (au nombre de $n+1$) classent :

Athènes > Pékin > Melbourne

Il y a partage presque égal ($n+1$ contre n) des partisans entre Pékin et Athènes, et, d'après la démonstration précédente, le CIO les classe à égalité. Il y a partage presque égal ($n+1$ contre n) des partisans entre Athènes et Melbourne, et, d'après la démonstration précédente, le CIO les classe à égalité. Mais ces deux égalités entraînent que Pékin et Melbourne sont elles aussi classées à égalité, alors que l'unanimité des membres préfère Pékin à Melbourne ! D'après la propriété d'indépendance par rapport aux informations extérieures, cela doit se produire indépendamment de la présence d'Athènes : l'unanimité préfère Pékin à Melbourne et le vote aboutit à l'indifférence entre ces villes.

Le paradoxe se prolonge. Pensons à un comité avec des opinions arbitraires sur deux villes candidates Pékin et Melbourne. Demandons-lui de voter au cas où une troisième ville totalement inadaptée, disons Jersey, serait ajoutée en queue de liste de préférence de chaque électeur. L'unanimité préfère Pékin à Jersey, et le comité doit donc être indifférent entre Pékin et Jersey. De même, il doit être indifférent entre Melbourne et Jersey. Finalement, il doit être indifférent entre Pékin et Melbourne.

Nous avons démontré que la seule règle de décision collective compatible avec les conditions qui ont été posées est l'indifférence généralisée !

Le théorème d'Arrow

Bien que nous le présentions en dernier, ce théorème est historiquement le premier exemple de cette démarche que nous avons accomplie plusieurs fois dans ce chapitre.

Il existe de très nombreuses présentations des conditions « honnêtes et sages », selon la propre expression d'Arrow qu'on peut raisonnablement exiger d'une procédure démocratique. Beaucoup ont été minutieusement rassemblées et agréablement présentées par Pierre Favre[4]. Une littérature très abondante s'est efforcée de modifier la présentation de ces conditions, de les affaiblir ou de les regrouper. Dans un livre publié en 1976 et qui garde aujourd'hui tout son intérêt, Jerry S. Kelly[5] ne recensait pas moins de 356 théorèmes du type de celui d'Arrow. La liste s'est beaucoup allongée depuis.

La première condition d'Arrow a été présentée ici plusieurs fois, c'est la condition d'*universalité* : il n'existe aucun système de préférences individuelles qui ne puisse être agrégé en une préférence collective, il n'y a pas, pour un électeur, de « choix interdit ».

La deuxième condition d'Arrow veut exclure les mésaventures des diplomates allemands que nous avons contées page 93 : si un candidat gagne des partisans d'un scrutin à un autre, son classement dans l'opinion collective ne doit pas diminuer. Arrow l'appelle *principe de liaison positive* entre préférence individuelle et préférence sociale, principe qui, selon son propre commentaire, exprime que la procédure doit être telle que l'ordre collectif reflète positivement les choix individuels.

La troisième condition nous est maintenant familière, c'est l'indépendance par rapport aux informations extérieures. Selon la formulation d'Arrow lui-même, « le choix collectif parmi un ensemble de candidats doit dépendre des préférences individuelles entre ces candidats, et d'elles seulement ». C'est cette condition que nous avons vue violée par la procédure de Borda, lorsque l'arrivée d'un nouveau candidat modifiait la préférence collective entre les autres candidats, sans qu'ait été modifiée aucune préférence d'aucun électeur entre ces candidats. On voit bien tout ce que veut exclure cette condition. Ce sont d'une part toutes les règles de préférences collectives qui régissent une élection à la majorité simple, comme le second tour des élections législatives françaises : l'issue d'une élection où s'affrontent un candidat socialiste et un candidat de droite peut être largement déterminée par la décision d'un troisième candidat, n'ayant aucune chance d'être élu, de se maintenir ou non pour le second tour. Ce sont d'autre part les tactiques spécieuses qui favoriseraient des électeurs dissimulant leurs véritables préférences.

Le théorème d'Arrow s'énonce alors avec une simplicité brutale : un raisonnement mathématique permet de prouver que, dès qu'il y a au moins trois candidats et deux électeurs, la seule procédure ordonnante qui satisfasse aux conditions précédentes est la *dictature* : la préférence collective est systématiquement identique à celle d'un électeur particulier, le dictateur.

Une interprétation intéressante du théorème d'Arrow est la suivante : si une procédure non dictatoriale permet un classement collectif à partir des classements individuels, elle viole nécessairement l'une des conditions d'Arrow.

La preuve du théorème d'Arrow

L'étude d'Arrow repose sur la notion de *partie décisive* dans l'ensemble des votants. Une partie Q de l'ensemble des électeurs est dite « décisive » par exemple pour Melbourne contre Pékin s'il suffit que tous les électeurs de Q classent Melbourne devant Pékin (cela a été noté Melbourne > Pékin) pour qu'il en soit de même au résultat du vote, quelles que soient les préférences des autres électeurs. Une partie de l'ensemble des électeurs est dite tout simplement décisive si elle est décisive pour n'importe quelle ville contre n'importe quelle autre.

Exemples :

– Dire qu'une procédure possède la propriété d'unanimité, c'est dire que l'ensemble de tous les électeurs est décisif.

– Dans un comité de 100 membres, pour la règle de vote à la majorité absolue, n'importe quel groupe de 51 électeurs est décisif.

– Rappelons qu'on appelle dictateur un électeur tel que la décision du groupe soit systématiquement identique à sa propre décision. Un dictateur forme à lui seul une partie décisive.

Un premier résultat est une étape nécessaire au théorème d'Arrow : Avec les propriétés exigées, une partie Q décisive pour un couple de villes, par exemple Melbourne contre Pékin est purement et simplement décisive.

Démonstration

Soit donc Q une partie décisive pour Melbourne contre Pékin. Montrons qu'elle est décisive pour Melbourne contre n'importe quelle ville candidate, par exemple Paris. Imaginons d'abord une situation dans laquelle

pour tout électeur de Q Melbourne > Pékin > Paris,

pour tout autre électeur Pékin > Paris > Melbourne.

Alors, au classement résultant :

Melbourne bat Pékin puisque Q est décisif pour Melbourne contre Pékin ;

Pékin bat Paris puisque l'unanimité des électeurs le veut ainsi.

On en conclut, puisque la procédure est supposée ordonnante, que Melbourne bat Paris, selon le vœu des électeurs de Q et contre le vœu des autres électeurs. De plus, à cause de la propriété d'indépendance par rapport aux informations extérieures, ce résultat est acquis en tenant compte seulement des choix des électeurs entre Melbourne et Paris, et pas du tout en fonction de la présence, de l'absence ou du classement de Pékin.

Effaçons Pékin de nos hypothèses : lorsque

pour tout électeur de Q Melbourne > Paris

pour tout autre électeur Paris > Melbourne

Melbourne bat Paris, autrement dit, Q est décisif pour Melbourne contre toute autre ville candidate, par exemple Paris.

Imaginons maintenant une ville candidate par exemple Atlanta telle que :

pour tout électeur de Q   Atlanta > Melbourne > Paris,
pour tout autre électeur   Paris > Atlanta > Melbourne.

Alors, au classement résultant :

Melbourne bat Paris puisque Q est décisif pour Melbourne contre Paris

Atlanta bat Melbourne puisque l'unanimité des électeurs le veut ainsi.

On en conclut, puisque la procédure est supposée ordonnante, qu'Atlanta bat Paris, selon le vœu des électeurs de Q et contre le vœu des autres électeurs. De plus, à cause de la propriété d'indépendance par rapport aux informations extérieures, ce résultat est acquis en tenant compte seulement des choix des électeurs entre Atlanta et Paris, et pas du tout en fonction de la présence, de l'absence ou du classement de Melbourne.

Effaçons donc Melbourne de nos hypothèses : lorsque

pour tout électeur de Q   Atlanta > Paris
pour tout autre électeur   Paris > Atlanta

Atlanta bat Paris, autrement dit, Q est décisif pour toute ville candidate, Atlanta dans notre exemple, contre toute autre ville candidate, Paris dans notre exemple. En un mot, Q est décisif.

Cette démonstration a soulevé de nombreux débats, non sur son exactitude, mais sur ses conséquences logiques, dans la mesure où elle exclut mathématiquement tout espace de liberté individuelle. Puis-je décider librement de dormir sur le dos ou sur le côté ? Si mon choix est décisif entre deux états du monde entre lesquels seul différerait cette position de sommeil, il est décisif entre deux états quelconques du monde, et je suis un dictateur. Comme ce n'est pas le cas, la conclusion s'impose : une des hypothèses que nous avions estimée indispensable à la démocratie n'est pas satisfaite.

Il est maintenant temps d'en venir à la démonstration proprement dite du théorème. Elle est très courte.

Démonstration du théorème d'Arrow

Prenons maintenant une partie décisive Q : il en existe, ne serait-ce que l'unanimité. Divisons cette partie en deux parties A et B sans éléments communs. Imaginons des villes candidates telles que :

pour tout électeur de A Melbourne > Pékin > Paris,
pour tout électeur de B Pékin > Paris > Melbourne,
pour tout autre électeur Paris > Melbourne > Pékin.

Dans ces conditions, Pékin bat Paris puisque c'est le vœu des électeurs de Q, qu'ils appartiennent à A ou à B. Alors, de deux choses l'une :

– Ou bien Pékin bat Melbourne, selon le vœu des électeurs de B et contre celui de tous les autres. Cela exprime que B est alors décisif.

– Ou bien Melbourne bat Pékin, comme Pékin bat Paris, alors Melbourne bat Paris. C'est le souhait des électeurs de A et d'eux seulement, ce qui montre que A est décisif.

Ainsi, dans toute division d'une partie décisive en deux parties, l'une des deux est décisive. Il ne reste qu'à recommencer cette dichotomie jusqu'à trouver une partie décisive contenant un seul électeur, c'est-à-dire un dictateur.

La conclusion est sans appel : les propriétés exigées de notre règle de décision ne sont réunies que pour une seule de ces règles, la dictature.

L'énoncé plus familier du théorème d'Arrow ajoute aux propriétés requises la non-dictature. Alors, il est prouvé qu'il n'existe aucune règle de décision satisfaisant à l'ensemble des conditions exigées, c'est pourquoi on parle souvent du « théorème d'impossibilité d'Arrow ». Une démonstration complète devrait prendre en compte l'éventualité d'indifférences, individuelle ou collective. Il est amusant de noter, même si cela n'a rien enlevé à la gloire du découvreur, que la première version donnait une démonstration invalide, qui a été corrigée dans la seconde édition de 1964.

La forme originale du théorème d'impossibilité telle qu'Arrow l'avait donnée n'utilisait pas la condition d'unanimité, mais deux conditions, que nous énonçons dans le langage de notre exemple olympique :

– *La souveraineté du corps électoral* : il n'y a pas de ville candidate qui ne puisse être élue par une distribution adéquate des votes individuels.

– *La monotonie* : si une ville candidate assurée d'être élue gagne un ou plusieurs partisans, elle ne saurait devenir perdante.

Il est clair que ces deux conditions entraînent la condition d'unanimité : à partir d'une répartition du corps électoral qui fait gagner une ville candidate, celle-ci reste gagnante si elle convertit à sa candidature, un à un, les électeurs qui ne votaient pas pour elle.

La descendance

Le théorème d'Arrow, malgré sa simplicité, a eu un énorme retentissement, et une riche descendance.

Le retentissement est largement dû à la simplicité de son exposé et à son caractère fortement paradoxal. Survenant à un moment où l'État-providence et la bureaucratie envahissante s'affirmaient seuls en charge du bien public, cependant qu'on voyait poindre la révolte des contribuables, il apportait une pierre très médiatique au débat : la décision collective démocratique est forcément irrationnelle !

La descendance, quant à elle, est nombreuse : d'une part, on s'est efforcé de scruter les hypothèses. Peut-on alléger telle ou telle hypothèse en maintenant le résultat ? Peut-on au contraire renforcer l'une des hypothèses, en sorte que l'impossibilité disparaisse ?

Une école d'opposants à la problématique d'Arrow refuse simplement tout caractère descriptif à l'une de ses hypothèses, celle selon laquelle les préférences individuelles, préférences strictes ou indifférences, sont transitives. S'il n'est pas simple, quoique concevable, d'imaginer des cas de préférences strictes non transitives[6], les cas d'indifférences non transitives sont légion. Pensons simplement au fait que chacun de nous est indifférent à mettre dans son café n ou n-1 grains de sucre, mais pas indifférent entre une cuillerée et aucun grain. Et, pourtant, cette indifférence se déduirait par transitivité répétée de l'indifférence entre n et n-1 grains.

Et pourtant, il tourne

Tant de défauts des systèmes de vote, tant de paradoxes, tant de théorèmes d'impossibilité devraient condamner, au moins du point de vue normatif, le vote comme technique d'agrégation des préférences individuelles.

Or, sur le plan descriptif, force est de constater que le vote se porte bien, tant dans les institutions politiques, qu'elles soient locales, nationales ou internationales, que dans les assemblées les plus diverses, au sein d'associations, de corporations ou de sociétés commerciales. Et le système de vote le plus répandu est, de très loin, le vote majoritaire, pour lequel l'effet Condorcet viole l'une des conditions d'Arrow. Pourquoi donc les hommes continuent-ils à s'accommoder d'un système aussi imparfait ?

Une première réponse est qu'il n'y en a pas d'autre : tout système viole une condition « honnête et sage », et on songe à la boutade de Churchill affirmant que la démocratie est le pire des systèmes, à l'exception de tous les autres.

Mais nous avons déjà en main les éléments d'une réponse plus pragmatique : l'effet Condorcet ne se produit pas systématiquement, et nous avons noté que, si les désaccords entre électeurs ne sont pas excessifs, cela peut suffire à éviter l'apparition de cycle.

Les préférences unimodales

Commençons par un exemple. Un conseil municipal doit décider le montant du budget accordé à une association sportive. Le débat a mis en évidence trois montants envisageables :

10 000 € 12 000 € 14 000 €

Le bon sens doit faire apparaître une certaine unanimité au sein du conseil ; personne ne placerait la subvention de 12 000 € en dernière position ! Comment peut-on caractériser le bon sens d'un électeur ? Le propos sera plus clair encore si davantage de montants sont en débat. Par exemple, si les montants en discussion sont

1 1,2 1,4 1,5 1,8

(en dizaines de milliers d'euros), un électeur logique qui place en tête une subvention de 1,5 pourra avoir pour préférences :

1,5 1,8 1,4 1,1 1 ou encore
1,5 1,4 1,8 1,2 1 ou encore
1,5 1,4 1,2 1,8 1 ou encore
1,5 1,4 1,2 1 1,8

mais sûrement pas un ordre qui placerait par exemple 1,2 entre 1,5 et 1,4. Un électeur à préférences « raisonnables » est libre de son premier choix, mais entre deux montants plus élevés que ce premier choix, il préfère le plus proche ; il en est de même pour les montants moins élevés.

Sur un graphique, les ordres acceptés sont représentés par des courbes présentant un seul maximum, dites aussi courbes unimodales.

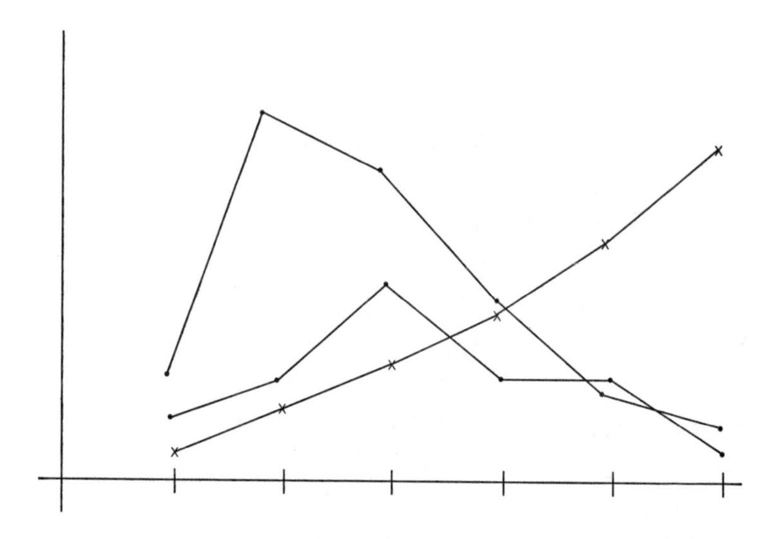

Un autre champ dans lequel les préférences unimodales sont fréquentes est l'axe droite-gauche, quand plusieurs candidats ou plusieurs politiques peuvent être ainsi rangés. Un électeur logique est libre de choisir son candidat de tête, mais sa deuxième préférence ne peut être que l'un des deux voisins du premier sur l'échelle politique ; sa troisième préférence ne peut être que l'un des deux voisins du bloc de ses deux premières préférences, et ainsi de suite. Par exemple, il existe un seul ordre unimodal pour un électeur dont la première préférence se situe à l'extrême gauche ; de même, il existe un seul ordre unimodal pour celui, qui, participant au vote d'une subvention, préférerait le montant le plus bas : une subvention est dans son esprit d'autant préférable que son montant est plus faible.

Le théorème de l'électeur médian

Duncan Black a montré un résultat[7] à la fois simple et heureux. Lorsque les préférences des électeurs sont unimodales, la *médiane* de la série des premières préférences l'emporte dans un duel contre toute autre décision ; intuitivement, toute autre décision verrait une majorité se dresser contre elle. Par exemple, pour le vote d'une subvention, toute valeur supérieure à la médiane serait jugée excessive par plus de la moitié des électeurs, tout montant inférieur à la médiane serait jugé insuffisant par une (autre) majorité d'électeurs. Plus d'un demi-siècle avant Black, Francis Galton avait fait cette observation citée d'ailleurs par Black lui-même : « Si un comité doit fixer le montant d'une certaine somme et que tous ses membres ont le même pouvoir, [...] la conclusion est que la bonne décision n'est pas la moyenne des estimations faites par chacun des membres ; cela donnerait à un excentrique une puissance proportionnelle à son excentricité. Une estimation anormalement petite ou grande aurait sur le résultat une influence plus grande qu'une estimation raisonnable, d'autant plus grande qu'elle s'écarterait du groupe des autres votants. Je signale que l'estimation la moins contestable serait la médiane, lorsque le nombre des votes au-dessus est exactement égal au nombre des votes en dessous. Toute autre estimation est condamnée par une majorité des votants, soit parce qu'elle serait trop grande, soit parce qu'elle serait trop petite[8]. »

Une propriété fréquente ?

La condition de préférences unimodales est survenue de façon assez naturelle dans des circonstances politiquement fréquentes : votes sur un montant budgétaire, sur un candidat placé sur une échelle claire droite-gauche. Il n'existe pas toujours un tel classement évident des candidats en présence. Mais, même non apparente, l'existence seule d'une échelle sur laquelle les préférences de tous les électeurs seraient unimodales suffit à empêcher l'apparition de cycles.

Ainsi, les défauts du vote majoritaire, ceux du moins que met en évidence le théorème d'Arrow, sont plus rares lorsqu'un minimum d'accord se manifeste entre électeurs. Attention, accord n'est pas consensus : par exemple, dans un vote politique, si les candidats sont classés sur l'échelle droite-gauche, la condition d'unimodalité est satisfaite, comme nous l'avons vu plus haut ; mais sous cette réserve, chaque électeur est libre de ses préférences.

Le marchandage des votes

Il apparaît aussi d'autres explications du fait qu'on utilise le vote majoritaire dans de nombreuses assemblées, malgré ses défauts techniques : ce sont le débat et le marchandage des votes.

Le débat a évidemment pour but de rapprocher les points de vue, chacun s'efforçant de convaincre le plus grand nombre de ses covotants. Lorsque la règle majoritaire s'impose et que le nombre de tours de scrutin n'est pas limité, c'est le débat qui évite que le même résultat ne se retrouve à chaque dépouillement. Il est si bien entré dans les mœurs que le débat peut influencer le vote qu'il est de tradition, dans de nombreuses assemblées, d'interdire toute prolongation du débat dès lors que les opérations de vote ont commencé. L'une des premières constitutions de la France de la Révolution prévoyait même deux chambres, l'une où l'on débattait sans voter, l'autre où l'on votait sans débattre.

Mais au débat public vient souvent s'ajouter un débat de couloirs, notamment dans les assemblées d'une certaine durée, où d'autres discussions, d'autres votes doivent intervenir un jour. Je soutiens des projets qui me sont parfaitement indifférents, en espérant que leurs partisans soutiendront un jour des projets qui me tiennent à cœur. La pratique est très largement répandue, et la discipline de votes au sein de groupes de l'assemblée résulte d'une forme de marchandage des votes : en adhérant à un groupe, je m'engage à soutenir tous les projets que le groupe aura approuvés, et pour les projets auxquels je tiens, je puis espérer le soutien du groupe, plus facile à convaincre que l'assemblée tout entière.

Appliqué à la décision politique, le marchandage des votes permet de faire adopter des mesures favorables à la société mais coûteuses à quelques-unes. Ainsi la construction d'une autoroute se fera contre l'avis initial des futurs riverains : si leur approbation est nécessaire au rassemblement d'une majorité pour la décider, une indemnisation convenable pourra modifier leur vote.

Si le mot de marchandage a une connotation péjorative, le terme américain de *logrolling* évoque une image plus agréable. On imagine bien les conquérants des forêts de l'Ouest : isolément, aucun ne peut faire rouler un tronc d'arbre, mais, en échangeant leurs services, chacun peut obtenir que « son » tronc soit roulé.

Bien entendu, il n'y a pas de miracle. Si nous revenons aux conditions du théorème d'Arrow, une d'entre elles n'est pas satisfaite : dans le cas présent, c'est la totale liberté dans les expressions des choix des électeurs qui est ainsi remise en cause.

Si donc on constate la persistance du vote majoritaire, tant dans les votes populaires que dans la procédure des assemblées délibérantes, c'est plus vraisemblablement dans l'existence de nombreux compromis, et dans l'absence de réelle solution alternative. Au sein d'une assemblée, les compromis, nous l'avons vu, sont rendus possibles par le fait qu'un vote s'inscrit toujours dans une série de décisions et que la recherche d'un accord sur le vote final suppose inévitablement des concessions mutuelles sur les détails du texte. Au sein du « peuple souverain », l'idée majoritaire est si profondément enracinée que, même frauduleux, un vote est généralement respecté ; quant aux compromis, ils se réalisent de deux façons : au sein du programme de chaque candidat ou parti, programme qu'un électeur approuvera implicitement en votant pour ce parti, même s'il en condamne certains aspects ; mais aussi, au sein du pays tout entier, par la division en circonscriptions électorales qui laisse le vague espoir que les imperfections, s'il en existe, se compenseront. Mais nous allons voir que ce n'est pas si simple.

CHAPITRE 5

La représentation proportionnelle

En matière électorale, la règle démocratique « un homme, une voix » a un corollaire immédiat en termes de proportionnalité : 10 % des citoyens ont droit à 10 % des représentants. Ce principe trouve deux champs d'application : la répartition entre circonscriptions territoriales de sièges à pourvoir, nous y reviendrons, et, dans chaque circonscription, la répartition entre les listes concurrentes des sièges mis en compétition, qui constitue l'essentiel de notre propos actuel.

Le principe est très simple. Imaginons un pays dont le Parlement comporte 24 sièges, et dans lequel trois partis sont en concurrence :

Parti socialiste : 50 % des voix

Parti conservateur : 37,5 % des voix
Parti populaire : 12,5 % des voix

Si le pays vote en une seule circonscription, il est possible d'imaginer une règle de vote qui envoie au Parlement :

50 % de députés socialistes, soit 12,
37,5 % de députés conservateurs, soit 9,
12,5 % de députés populaires, soit 3.

Si le pays est divisé en 24 circonscriptions présentant cette même répartition, c'est le candidat socialiste qui l'emporte dans chacune et le Parlement sera composé de 24 socialistes.

1	1	1	1	1	1
1	1	1	1	1	1
1	1	1	1	1	1
1	1	1	1	1	1

Dans les cas intermédiaires, le partage devient un peu plus difficile : si les circonscriptions ont droit à trois sièges chacune,

3	3
3	3
3	3
3	3

on voit bien que le parti conservateur a droit à un siège dans chaque circonscription, il rassemble environ un tiers des suffrages, mais les deux autres sont bien difficiles à attribuer équitablement. La plupart des règles de partage conduiront à donner deux sièges au parti socialiste et aucun au parti populaire.

Pour de nombreux observateurs, l'idée du scrutin proportionnel est née en Europe d'un souci de protection de minorités. De fait, il fut d'abord mis en œuvre dans des pays hétérogènes soit par la langue, soit par la religion, soit par l'origine ethnique : Danemark dès 1855, Suisse en 1891, Belgique en 1899, Finlande en 1906. Permettre à des minorités d'être représentées au Parlement, et, ainsi, de ne pas se sentir exclues de la vie politique nationale était une habile technique pour maintenir l'unité du pays. En France, les débats furent très vifs il y a un siècle, chaque fois que fut posée la question du mode de scrutin.

Selon la conjoncture, elle a été défendue en France par la gauche ou par la droite. En fait, les convictions des uns et des autres se teintaient de calculs sur les effets supposés de tel ou tel mode de scrutin, si bien que, en dehors même des spectaculaires retournements de position, les divisions passaient souvent à l'intérieur même des partis. Par exemple, dans le débat parlementaire préparatoire au vote de la loi du 21 juillet 1927, le ministre de l'Intérieur Albert Sarraut défendait son projet de rétablissement du scrutin majoritaire, alors que le président du Conseil Raymond Poincaré était partisan de la représentation proportionnelle. À l'inverse, lors du même débat, les socialistes, contre leur tradition proportionnaliste, soutenaient le projet Sarraut.

Pour la proportionnelle

Les arguments éthiques en faveur de la représentation proportionnelle sont classiques : la démocratie exigerait que l'assemblée soit à l'image du pays, avec ses nuances et ses partitions ; le vote majoritaire écraserait les minorités et les priverait de leur juste représentation ; les inégalités des circonscriptions et l'arbitraire du découpage caricatureraient la volonté populaire... Au XIXe siècle, les abus des candidatures officielles discréditaient le scrutin uninominal ; les préfets n'avaient rien inventé, puisque Suétone nous rapporte que Jules César envoyait dans toutes les tribus des tablettes avec ces quelques mots : « César, dictateur, à telle tribu ; je vous recommande untel et untel pour qu'ils tiennent leur dignité de vos suffrages. » Dans un mémorable banquet républicain, le 17 mars 1910, Charles Gide, Charles Benoist, Ferdinand Buisson, Jean Jaurès n'avaient pas de mots assez durs pour ce scrutin uninominal qui asservit le député à ses électeurs et qui écrase injustement les minorités. Au Parlement, Jean Jaurès a défendu le scrutin proportionnel par la formule fameuse : « Celui-ci tuera celui-là, voilà la formule du scrutin d'arrondissement. Ceux-ci et ceux-là auront leur juste part, voilà la formule du scrutin de liste avec la représentation proportionnelle. » L'argument d'injustice à l'égard des minorités est mis en avant de la façon la plus virulente par les partis extrémistes ou durablement minoritaires : Verts, Parti communiste et Front national.

Contre la proportionnelle

D'ailleurs, les tenants de la proportionnelle n'avaient pas le monopole des banquets républicains ; le 20 décembre 1909, Émile Combes, président du comité parlementaire de défense républicaine concluait son discours par cette invocation plutôt piquante dans la bouche d'un ministre plus connu pour avoir fait fracturer les portes des églises et des tabernacles : « Que le ciel préserve la République de l'expérience belge de la proportionnelle. »

Les inconvénients pratiques de la représentation proportionnelle sont apparus progressivement ; elle tend à multiplier les partis, et par conséquent à provoquer une coalition *après* l'élection pour constituer une majorité de gouvernement. C'est le risque d'assemblées incapables de gouverner durablement, risque qu'avait dénoncé René Capitant lors d'un débat à l'Assemblée constituante, le 1er avril 1946 : « Mais si la représentation proportionnelle, dans son souci d'être juste et loyale, conduit à des assemblées incapables de gouverner, croyez-vous que vous aurez finalement servi la démocratie ? »

Les marchandages qui résultent de cette situation se font en coulisse et donnent une importance particulière aux partis charnières. C'est par cette particularité qui explique la surreprésentation ministérielle des petits partis du centre sous la IVe République : Radicaux, UDSR, Indépendants d'outre-mer[1]. Cette surreprésentation est manifestée de façon éclatante par le fait que, sur 24 gouvernements investis après le départ du général De Gaulle, la moitié étaient présidés par un membre de l'UDSR ou du Parti radical, formations qui, au cours de cette période, ont rassemblé entre 8,5 et 12,5 % des suffrages. L'argument de la justice de la représentation proportionnelle s'en trouve singulièrement affaibli.

L'opposition doit pouvoir participer au débat, faire valoir ses arguments, pouvoir prendre le pays à témoin, elle ne doit pas pouvoir bloquer le système. C'est ce que vingt ans avant la plupart des observateurs occidentaux, François Goguel avait mis en évidence[2] : « Ce qu'exige évidemment la justice électorale, c'est [...] que les partis minoritaires puissent exprimer leur point de vue dans les assemblées. Mais, d'autre part, l'efficacité nécessaire de la démocratie postule que les minorités ne soient pas assez fortes pour faire obstruction aux décisions de la majorité. Il serait injuste (et d'ailleurs impolitique) que le Parti communiste, s'il groupe le quart des suffrages, n'ait aucun représentant au Parlement. Importe-t-il vraiment, au point de vue de la justice qu'il ait exactement un quart des députés, au lieu d'un sixième ou d'un huitième ? En aucun cas il ne pourra imposer ses décisions à lui seul. »

La question technique n'est pas tranchée pour autant : comment faire pour qu'une majorité se dégage, sans écraser les minorités ? Il faut bien qu'une règle soit posée avant les élections. Assez souvent, la loi prévoit un correctif majoritaire à la stricte proportionnalité. Nous y reviendrons.

La répartition proportionnelle

Le système le plus simple à décrire est celui des listes bloquées : l'affrontement se fait entre partis politiques, chacun présentant une liste de candidats. Après l'élection, chaque liste se trouve avoir droit à un certain nombre de sièges, et les premiers candidats de cette liste sont déclarés élus. Dans d'autres systèmes, que nous évoquerons plus loin, les électeurs peuvent émettre un vote préférentiel, en indiquant, sur la liste qu'ils choisissent, le ou les candidats qu'ils préfèrent voir élus. Parfois même, ils peuvent panacher leurs préférences en rassemblant des noms issus de listes différentes.

Pour répartir de façon proportionnelle les sièges à pourvoir dans une circonscription, une première idée repose sur la notion de diviseur électoral. Il s'agit d'interpréter la règle de proportionnalité en disant que n'importe quel élu doit représenter le même nombre de suffrages ; on divise alors le total des suffrages exprimés par le nombre de sièges à pourvoir et on obtient ainsi le *diviseur électoral*. On attribue alors à chaque liste autant de sièges que le nombre de ses suffrages contient de fois le diviseur électoral. Ces attributions sont généralement appelées « attributions aux quotients ». S'il s'agit de listes bloquées, le nom des élus s'en déduit aisément.

Exemple :

Si, pour quinze sièges à répartir, le dépouillement des suffrages exprimés donne :

Progressistes	68 000 suffrages
Socialistes	20 000 suffrages

Conservateurs 17 000 suffrages,
on calcule le nombre total des suffrages :

$$68\,000 + 20\,000 + 17\,000 = 105\,000$$

et le diviseur électoral :

$$\frac{105\,000}{15} = 7\,000$$

Les progressistes obtiennent 9 fois le diviseur électoral et recevront 9 sièges ; les socialistes en recevront 2 et les conservateurs, 2. La question est, naturellement, à qui attribuer les 2 derniers sièges ?

C'est là que l'imagination des hommes politiques et de leurs conseillers s'est donnée libre cours. Parfois, ces conseillers étaient des mathématiciens, et leurs noms sont restés attachés aux méthodes qu'ils avaient recommandées.

Une idée naturelle : les plus forts restes

L'idée la plus simple consiste à attribuer les sièges supplémentaires aux listes ayant le plus fort reste, le *reste* étant le nombre de suffrages non représentés par la première attribution. On peut considérer en effet que l'attribution de 9 sièges à la liste progressiste représente 9 fois le diviseur électoral, soit 63 000 suffrages, et que le reste, soit 5 000, n'est pas représenté. Pour la liste socialiste, le reste est 6 000, et, pour les conservateurs, il est de 3 000. Les deux sièges restants seront donnés aux listes progressiste et socialiste. C'est la règle dite *du plus fort reste*, qui paraît de pur bon sens.

C'est par exemple la règle posée par notre loi du 11 avril 2003 pour répartir entre circonscriptions les sièges au Parlement européen. L'article 15 de cette loi stipule : « Les sièges à pourvoir sont répartis entre les circonscriptions proportionnellement à leur population avec application de la règle du plus fort reste. »

Aux États-Unis, cette règle est connue sous le nom de *méthode d'Hamilton*, du nom du secrétaire au Trésor Alexander Hamilton qui, en 1792, conseilla au président George Washington de ne pas s'opposer à une loi répartissant entre États les sièges à la Chambre des représentants selon cette méthode. Elle a aussi été appelée *méthode de Vinton*, du nom d'un représentant de l'Ohio qui en avait proposé l'adoption. Mais cette méthode dictée, semble-t-il, par le pur bon sens réserve, nous allons le voir, bien des surprises.

Notons déjà qu'elle n'assure pas que les plus petites listes seront représentées, si leurs suffrages n'atteignent pas le diviseur électoral et que leur reste (qui est alors égal au nombre de leurs suffrages) s'avère insuffisant pour leur obtenir un siège. L'objectif de représentation des minorités trouve là ses limites.

Avant d'être négatif, observons toutefois que la méthode des plus forts restes, en tant que méthode de répartition proportionnelle, a cette qualité évidente : au moins, elle est *contingentée*.

Les contingents

Bien évidemment, la proportionnalité ne peut être qu'approchée, les sièges ne pouvant pas être fractionnés. On définit les *contingents* des listes qui concourent au partage comme leur « juste part », le nombre exact (donc avec des décimales) de sièges que la règle proportionnelle leur attribue.

Conservons l'exemple donné plus haut :

Progressistes 68 000 suffrages
Socialistes 20 000 suffrages
Conservateurs 17 000 suffrages

Sièges à répartir : 15.

Un siège « valant » 7 000 suffrages, les contingents respectifs sont :

$\frac{68\,000}{7\,000} = 9{,}71$ pour la liste progressiste

$\frac{20\,000}{7\,000} = 2{,}86$ pour la liste socialiste

$\frac{17\,000}{7\,000} = 2{,}43$ pour la liste conservatrice

Ces contingents donnent une idée de la répartition idéale. Il est souhaitable qu'une méthode de répartition donne des nombres (entiers) de sièges qui ne soient guère différents des contingents.

Plus précisément, une méthode est dite « contingentée vers le bas » si elle accorde à toute partie prenante un nombre de sièges au moins égal à son contingent arrondi vers le bas. Pour un contingent de 5,27, elle doit accorder au moins 5 sièges. Pour un contingent de 7,37, elle doit accorder au moins 7 sièges… Elle est dite « contingentée vers le haut », si elle accorde à toute partie prenante un nombre de sièges au plus égal à son contingent arrondi vers le haut. Pour un contingent de 5,27, elle doit accorder au plus 6 sièges. Pour un contingent de 7,37, elle doit accorder au plus 8 sièges… Elle est dite enfin « contingentée », si elle est contingentée à la fois vers le bas et vers le haut. Pour un contingent de 5,27, elle doit accorder au moins 5 sièges et au plus 6. Pour un contingent de 7,37, elle doit accorder au moins 7 sièges et au plus 8. Cela signifie tout simplement que le nombre de sièges est égal au contingent arrondi, soit à l'entier supérieur, soit à l'entier inférieur.

Si des noms ont été donnés à des propriétés si évidentes, c'est justement qu'elles ne sont pas toujours vérifiées, en particulier par certaines autres méthodes pourtant très répandues, nous le verrons plus loin.

La question des seuils

Si les systèmes de représentation proportionnelle ont été imaginés pour protéger les minorités en leur assurant une participation à l'assemblée délibérante, la question de la définition d'une minorité se pose ; un individu isolé est-il une minorité à lui tout seul ? Mathématiquement, c'est incontestable, mais, politiquement, on n'imagine pas lui donner le droit d'être représenté, puisque cela reviendrait à le proclamer élu. Dans tout système de répartition proportionnelle des sièges issue du vote, un parti doit obtenir un minimum de suffrages pour recevoir ne serait-ce qu'un siège. S'il y a cent sièges et cent une listes en présence, une liste (au moins) n'obtiendra rien, même si elle a recueilli quelques suffrages.

Ces seuils peuvent être purement arithmétiques, découlant simplement du nombre d'électeurs et du nombre de sièges à pourvoir. Ils peuvent aussi être inscrits dans le code électoral par l'autorité politique.

Les seuils arithmétiques

Nous avons appelé « contingent » d'une liste le nombre théorique (décimal) de sièges auquel la stricte proportionnalité lui donne droit. Par exemple, s'il y a 40 sièges à pourvoir, une liste obtenant 22 % des suffrages a pour contingent 22 % de 40 soit 8,8 sièges.

Lorsqu'une méthode d'attribution des sièges est contingentée, toute liste dont le contingent est compris entre 0 et 1 doit recevoir 0 ou 1 siège. Il semble en outre raisonnable que, si une telle liste obtient 1 siège, toute liste qui obtient davantage de voix en obtienne 1 aussi. Par exemple, si un contingent de 0,67 donne droit à 1 siège, tout contingent supérieur, comme 0,68, donne aussi droit à 1 siège. Il y a donc une limite, un contingent minimum, pour avoir droit à 1 siège, et c'est ce nombre qu'on appelle « seuil arithmétique ».

Il est impossible, nous allons le voir, d'énoncer une règle uniforme pour ces seuils, mais quelques remarques peuvent être faites :

a) à proportions égales de voix, le contingent est d'autant plus petit qu'il y a moins de sièges à pourvoir ; s'il y a 10 sièges à pourvoir, une liste obtenant 22 % des suffrages a pour contingent 22 % de 10 soit 2,2 sièges. S'il y en a 50, le contingent est 11. C'est ce qui explique la forte opposition des « petits partis » lors du débat de 2003 sur la régionalisation du scrutin européen : au niveau national, 22 % de 87 sièges donnent un contingent de 19,14, mais dans toute subdivision n'élisant que quatre représentants, le contingent de ce parti devient 22 % de 4, soit 0,88, posant alors la question du seuil.

b) aucune règle universelle ne peut se déduire du seul nombre de sièges à pourvoir. Si « les mathématiques prouvaient » qu'au-dessous de 0,45 par exemple un contingent ne peut permettre l'attribution d'un siège, il suffirait d'imaginer que dix listes aient chacune un contingent de 0,4 pour que, à la fois, aucune n'ait droit au moindre siège et leur présence laisse, pour les autres listes, 4 sièges « hors contingent ». L'exemple le plus récent de cette erreur figure dans la saisine du Conseil constitutionnel, le 14 mars 2003, par plus de soixante députés de l'opposition auxquels s'étaient joints quelques élus UDF. Ils écrivent : « Ainsi, même à s'en tenir à la métropole, où le seuil d'éligibilité est aujourd'hui de 5 % [seuil figurant alors dans le code électoral], il s'élèvera au minimum à 7,1 % dans la plus grande circonscription (100/14) et à 16,6 % dans la moins vaste (100/6)[3]. » Les honorables parlementaires confondent d'abord seuil édicté (5 %) et seuil arithmétique. Ils confondent aussi le diviseur électoral, nombre de voix nécessaires à l'obtention d'1 siège lors de la première répartition, qui est bien le quotient de 100 par le nombre de sièges (14 et 6 dans l'exemple cité), avec le seuil arithmétique. En effet, avec moins de 7,1 % des suffrages, il est tout à fait possible d'obtenir 1 siège, certes pas lors de la première attribution aux quotients, mais lors de la répartition des sièges restant après cette opération.

Certes, d'une façon générale, ce seuil arithmétique ne joue un rôle important que dans les cas où il y a peu de sièges à répartir. Ainsi en France pour les élections sénatoriales, qui sont organisées à la proportionnelle dans chaque département élisant au moins 3 sénateurs (réforme de septembre 2000), pour obtenir un contingent de 1 avec 3 sénateurs, il faut donc obtenir 33,33 % des suffrages. Lorsqu'il y a davantage de sièges en jeu, les seuils arithmétiques deviennent plus petits. Les seuils édictés peuvent alors entrer en lice pour éviter l'émiettement. C'est ce phénomène que le traité de Nice avait prévu lorsqu'il indiquait que, dans chacun des pays de l'Union, les élections au Parlement européen se dérouleraient à la proportionnelle, que les États membres seraient libres de diviser leurs territoires en circonscriptions, mais sans porter atteinte au principe de proportionnalité.

Les seuils édictés

La plupart des législateurs estiment que le droit pour une minorité de se faire entendre au sein de l'Assemblée suppose qu'elle rassemble un minimum de mandants. Pour l'élection au Parlement européen, la France formait jusqu'au scrutin de 1999 une circonscription unique qui désignait ses 87 représentants à la proportionnelle ; la loi prévoyait qu'une liste devait réunir au moins 5 % des suffrages exprimés pour participer à la répartition proportionnelle. Ainsi, la liste écologiste, avec 4,39 % des voix n'obtint aucun siège en 1999 alors que son contingent, 4,39 % de 87 soit 3,82 sièges, n'était pas négligeable. Ce seuil de 5 % pour participer au partage a été maintenu par la loi du 11 avril 2003. En Allemagne, pour participer à la répartition proportionnelle des sièges au Bundestag, il faut réunir 5 % des suffrages exprimés (ou avoir 3 députés élus au scrutin uninominal).

L'incontournable à-peu-près

Bien évidemment, la proportionnalité ne peut être qu'approchée, les sièges ne pouvant pas être fractionnés. Or des difficultés logiques réelles surgissent dès l'instant où le mot *approché* est écrit, avant même que l'on s'interroge sur des méthodes d'approximation. Un exemple va le montrer.

Imaginons une circonscription disposant de 16 sièges, à répartir entre trois listes ayant obtenu respectivement :

Socialistes : 5 000 voix
UMP : 7 000 voix
Dissidents : 3 200 voix

Dans l'idéal, le rapport du nombre de sièges entre deux listes serait égal au rapport des nombres de voix : une liste qui a deux fois plus de voix qu'une autre devrait disposer de deux fois plus de sièges.

La répartition des sièges 5, 8, 3, peu importe comment elle a été obtenue, est-elle satisfaisante ? Peut-on l'améliorer ?

Observons les deux dernières listes. Le rapport des nombres de voix est :

$$\frac{7\,000}{3\,200}$$

soit 2,1875.
Le rapport des nombres de sièges est 8/3, soit environ 2,667 et, si on enlève 1 siège à l'UMP pour le donner à la liste dissidente, ce rapport devient 7/4, soit 1,75, ce qui est plus proche du rapport idéal :

2,667 – 2,187 vaut environ 0,48
2,187 – 1,75 vaut environ 0,43

Nous voici avec la répartition 5, 7, 4.

Observons maintenant les listes dissidente et socialiste. Le rapport des nombres de voix est :

$$\frac{3\,200}{5\,000}$$

soit 0,640.

Le rapport des nombres de sièges est 4/5, soit 0,800 et, si on enlève 1 siège aux dissidents pour le donner à la liste socialiste, ce rapport devient 3/6, soit 0,5, ce qui est plus proche du rapport idéal :

0,800 – 0,640 vaut 0,160
0,640 – 0,5 vaut 0,14

Nous voici avec la répartition 6, 7, 3.

Observons enfin les listes socialiste et UMP ; le rapport des nombres de voix est :

$$\frac{5\,000}{7\,000}$$

proche de 0,714.
Le rapport des nombres de sièges est 6/7, soit environ 0,857 et, si on enlève 1 siège aux socialistes pour le don-

ner à la liste UMP, ce rapport devient 5/8, soit 0,625, ce qui est plus proche du rapport idéal :

0,714 – 0,625 vaut environ 0,089

0,857 – 0,714 vaut environ 0,43

Et nous revoilà avec la répartition d'où nous étions partis, 5, 8 et 3 sièges. Le processus tourne en rond : toute répartition des sièges peut être remplacée par une autre, qui peut être considérée comme plus fidèle à la répartition des voix.

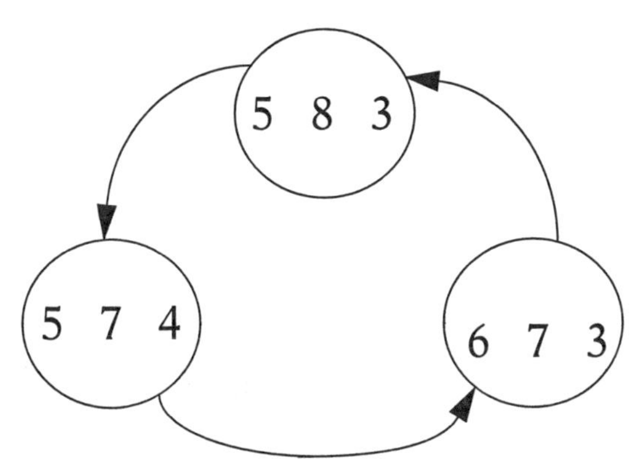

Cet exemple montre que la notion de *proportionnalité approchée* est sans doute beaucoup moins évidente qu'on n'aurait pu le croire à première vue. Dès lors que des nombres doivent être arrondis (ici, les contingents), la réponse peut réserver bien des surprises.

En effet, si nous observons l'ensemble des contingents, la question est : comment arrondir ? Si nous sommes, pour répartir 21 sièges, en face de trois listes dont les contingents respectifs sont 13,38 pour l'une, 4,26 pour la deuxième et 3,36 pour la dernière, quelle est la bonne manière d'arrondir ?

À l'entier inférieur ? Cela donnerait 13, 4 et 3 et on n'aurait alors pas distribué tous les sièges, ce calcul étant équivalent à celui de la première répartition au diviseur électoral. À l'entier supérieur ? On aura alors distribué trop de sièges (ici : 14, 5 et 4). À l'entier le plus proche ? Cela conduirait à la répartition 13, 4 et 3.

C'est une difficulté bien connue des statisticiens qui présentent des tableaux de pourcentages arrondis : même si l'on choisit d'arrondir à l'entier le plus proche, le total des pourcentages partiels risque de ne pas donner 100 %. Généralement, on s'en tire par une note ajoutée à la légende du tableau expliquant que, à cause des « erreurs d'arrondis », la somme des pourcentages partiels est différente de 100 %. Mais cette esquive n'est pas possible lorsqu'il s'agit de répartir des sièges de députés. Certes, on pourrait sourire de ces scrupules bien tardifs : la réponse ne va-t-elle pas de soi, avec l'idée « naturelle » de la méthode des plus forts restes ? Pour nos 21 sièges à répartir entre trois listes dont les contingents respectifs sont 13,38 pour l'une, 4,26 pour la deuxième et 3,36 pour la dernière, la première attribution au diviseur donne 13, 4 et 3 sièges, laissant un siège attribué à la liste qui présente un reste de 0,38, le plus fort des trois. Pour naturelle qu'elle semble, la méthode ouvre la voie à quelques paradoxes peu acceptables.

Le paradoxe démographique

Revenons à l'exemple présenté page 135 et imaginons qu'un nouveau comptage des bulletins fasse apparaître une légère rectification des nombres précédents :

Progressistes	65 870 suffrages au lieu de 68 000
Socialistes	22 190 suffrages au lieu de 20 000
Conservateurs	16 940 suffrages au lieu de 17 000

Le nombre total de sièges restant le même, ainsi que le total des exprimés, le diviseur électoral est toujours de 7 000. La répartition devient 9, 3 et 2 sièges, (1 siège de plus est réparti à cette première attribution) mais les restes respectifs sont maintenant :

Progressistes	2 870
Socialistes	1 190
Conservateurs	2 940

et le 15e siège ira aux Conservateurs. Cette liste aura donc perdu des voix et gagné un siège ! Il suffit d'imaginer l'évolution réciproque pour construire un exemple où une liste aurait gagné des voix et perdu cependant un siège, le total des suffrages exprimés restant toujours le même. Elle regretterait amèrement d'avoir exigé qu'on recompte les bulletins !

Peut-on considérer comme « logique » une méthode capable de telles fantaisies ? Nous allons voir que ce n'est pas la seule fantaisie de cette méthode.

Le paradoxe de l'Alabama

Imaginons 36 sièges à répartir entre trois listes, que nous désignons par de simples initiales, dont la signification historique sera présentée au chapitre suivant.

liste A	15 340 suffrages
liste T	19 346 suffrages
liste I	37 404 suffrages

Pour un total de suffrages exprimés de 72 090 voix et pour 36 sièges, le diviseur électoral (nombre de suffrages donnant droit à 1 siège) est obtenu en divisant 72 090 par 36, ce qui donne 2 002,5 voix et les contingents sont :

liste A	15 340 : 2 002,5 soit 7,6604
liste T	19 346 : 2 002,5 soit 9,6609
liste I	37 404 : 2 002,5 soit 18,679

Les attributions aux quotients sont donc 7, 9 et 18 et les 2 sièges non attribués reviennent aux plus forts restes T et I. La répartition finale est donc 7, 10, 19.

Supposons maintenant qu'à la suite d'une réforme il n'y ait plus que 35 sièges à répartir. Le diviseur électoral augmente : c'est le quotient de 72 090 par 35, soit 2 059,71 voix, et les contingents sont maintenant :

liste A	15 340 : 2 059,71 soit 7,448
liste T	19 346 : 2 059,71 soit 9,393
liste I	37 404 : 2 059,71 soit 18,160

Les attributions au quotient sont donc 7, 9 et 18 et le 35e siège revient au plus fort reste A. La répartition finale est donc 8, 9, 18.

Ainsi, les nombres de voix obtenues restant inchangés, lorsqu'il y a 35 sièges à répartir, la liste A en obtient 8 et, s'il y en a 36, elle n'a plus droit qu'à 7 !

Ce paradoxe est connu sous le nom de *paradoxe de l'Alabama*, en souvenir de la première fois où il est apparu publiquement, dans des circonstances un peu différentes qui seront racontées au prochain chapitre.

La méthode des plus forts restes a un autre défaut, politique celui-là. Une fois la répartition terminée, il y a des restes qui ne sont pas pris en compte (tous ceux qui n'ont pas été considérés comme des « plus forts restes »), et il y a donc des électeurs qui ne sont pas représentés, au sens arithmétique du terme. Imaginons une situation dans laquelle les restes inférieurs à 0,45 ne figurent pas parmi les plus forts et ne donnent donc pas droit à une attribution complémentaire. Un parti dont le contingent est 1,44 aura 1 siège, un parti dont le contingent est 23,44 aura droit à 23 sièges. En valeur relative, le premier est moins bien traité que le second ; près du tiers de ses électeurs ne sont pas représentés, contre environ 2 % pour son concurrent. Une conséquence en est la prime accordée à des manœuvres telles que la division d'un parti en tendances. Dès 1905, la commission du suffrage universel avait noté cette bizarrerie. Elle illustrait sa remarque par l'exemple d'une élection pour pourvoir 3 sièges, les résultats étant :

Parti conservateur	16 140 voix
Parti radical	14 400 voix

Le quotient électoral est de 10 180, la première attribution donne 1 siège aux conservateurs et 1 aux radicaux, et la règle du plus fort reste donne le dernier aux conservateurs. Mais si les voix radicales s'étaient partagées entre deux courants :

Courant A 7 000 voix Courant B 7 400 voix

la première attribution aurait donné un siège aux conservateurs. Ces derniers auraient eu, en vue de la seconde attribution, un reste de 5 960 suffrages, et les deux plus forts restes auraient été ceux des deux courants radicaux.

Cette « prime au schisme », réel ou purement électoral, est une raison de plus qui fait souvent rejeter la méthode des plus forts restes. Paul Painlevé, ministre du gouvernement d'Aristide Briand, mais aussi mathématicien professionnel, présenta, en utilisant cette particularité de la loi électorale du 12 juillet 1919, deux listes jumelles à Paris, radicale et socialiste-indépendante, qui obtinrent exactement deux fois plus de sièges que n'en aurait obtenu une liste unique [4]. Le système prévu par la loi de l'époque était un peu plus compliqué qu'une simple répartition proportionnelle au plus fort reste, mais la réussite d'une manœuvre fondée, nous allons le voir, sur une erreur mathématique n'en demeure pas moins éclatante.

La commission de 1905 n'avait pas été la première à observer ce phénomène, puisque le mathématicien belge Victor d'Hondt, souvent cité pour ses travaux fort respectés sur la représentation proportionnelle l'avait déjà signalé.

Depuis, la remarque a été répétée de décennie en décennie, y compris par les plus grands spécialistes [5]. L'auteur a lui aussi fait confiance à de si illustres devanciers et repris cette « vérité » dans un ouvrage antérieur [6]. Malheureusement, elle est fausse, comme le montre l'exemple élémentaire suivant, dans lequel 6 sièges sont à répartir :

Parti conservateur	4 600 suffrages
Parti radical	1 400 suffrages

Le diviseur électoral s'obtient en divisant le total des suffrages exprimés, 6 000 par le nombre de sièges, ce qui donne 1 000. La première attribution donne 4 sièges aux conservateurs et 1 aux radicaux, et le dernier siège va aux conservateurs, qui ont le plus fort reste (600 contre 400). En cas de scission

Parti conservateur	2 300 suffrages
Parti conservateur libéral	2 300 suffrages
Parti radical	1 400 suffrages

le diviseur électoral demeure inchangé, la première attribution (2, 2 et 1) laisse encore 1 siège, qui ira aux radicaux, dont le reste, 400 est le plus fort. La scission a donc coûté 1 siège aux conservateurs.

Les correctifs majoritaires

On porte souvent au passif de la représentation proportionnelle l'émiettement qu'elle provoquerait et l'instabilité des coalitions gouvernementales. C'est pourquoi de nombreux pays ont assorti le système d'un correctif majoritaire : il s'agit de donner au parti ayant obtenu la majorité même relative des suffrages une « prime majoritaire », pour qu'il dispose, dans l'Assemblée, d'une majorité absolue lui permettant de gouverner. Cela peut se faire de diverses manières, qui ne s'excluent pas.

Nous avons déjà mentionné le rôle des seuils, édictés ou arithmétiques : si un seuil exclut du partage les partis très minoritaires, les parts des autres s'en trouvent grossies d'autant. Lorsque peu de sièges sont à partager, le seuil arithmétique devient déterminant. La nouvelle loi régissant les élections au Parlement européen accorde 2 sièges à la circonscription d'outre-mer :

si donc une liste obtient 24 % des suffrages, la liste adverse, avec 76 % des suffrages emporte les 2 sièges (1 au diviseur, et 1 au plus fort reste, 26 % contre 24 %).

Il est aussi possible d'édicter une prime majoritaire. Ainsi, pour nos élections municipales, la liste vainqueur, soit au premier tour à la majorité absolue, soit au second à la majorité relative, obtient la moitié des sièges. les autres sièges sont répartis à la proportionnelle entre toutes les listes, y compris la liste gagnante.

Exemple

Le 7e arrondissement de Paris dispose de 5 sièges de conseillers de Paris. Si, au second tour, les résultats sont :

liste UMP	45 %
liste socialiste	35 %
liste UDF	20 %

la liste UMP commence par obtenir 3 sièges au titre de la prime majoritaire, et ce sont seulement les 2 sièges restants qui sont à répartir entre les trois listes proportionnellement à leurs scores. Cela donnera 1 siège à l'UMP et 1 aux socialistes. Le même arrondissement dispose de 15 sièges de conseillers d'arrondissement. La prime majoritaire est de 8 sièges, et ce sont 7 sièges qui sont à répartir à la proportionnelle, ce qui donnera 4 sièges à l'UMP, à ajouter aux 8 de la prime, soit au total 12 sièges, puis 3 aux socialistes et 1 à l'UDF.

D'autres niveaux de primes sont imaginables : pour la réforme régionale de 1999, la prime majoritaire prévue était du quart des sièges, et pour l'assemblée de Corse de 6 % (ou plus précisément de 3 sièges sur les 51 formant l'assemblée).

Le vote préférentiel

Un autre reproche fait au type de scrutin proportionnel avec listes bloquées est que le choix des élus appartient beaucoup plus largement aux états-majors des partis politiques qu'aux électeurs eux-mêmes. Le vocabulaire a parfaitement intégré cette situation : on est sur la liste « en position éligible », ou en position non éligible, le partage probable des suffrages entre les partis étant le plus souvent prévisible. Pour éviter cela, un certain nombre de correctifs ont été imaginés. Citons-en deux, le premier utilisé en Belgique, et le second en Grèce.

Le vote préférentiel sur liste ordonnée : les électeurs ont la possibilité d'indiquer, sur la liste qu'ils choisissent, un nom (parfois deux) qu'ils placent en tête de leurs préférences. S'ils ne le font pas, leur vote vaut approbation de l'ordre proposé par le parti. Dans la pratique, il est très rare qu'un nombre suffisant de votes préférentiels aboutisse à modifier l'ordre préétabli, même si l'histoire politique belge a retenu quelques exemples.

Le vote à la grecque : il n'y a pas d'ordre préétabli, les électeurs pouvant exprimer leur choix parmi les candidats de la liste qu'ils préfèrent. Ce suffrage est comptabilisé pour le parti, ce qui servira de base à la répartition proportionnelle des sièges. Puis, à l'intérieur de chaque formation politique, les sièges sont attribués aux candidats dans l'ordre des préférences exprimées en leur faveur. Ce système a également été utilisé en Italie jusqu'en 1993. Une variante est utilisée en Finlande.

Le vote unique transférable

Connu aussi sous le nom de « système de Hare », il est utilisé en Irlande et à Malte pour les élections législatives, en Australie dans plusieurs États et pour le Sénat fédéral. Comme le vote à la grecque, c'est un scrutin à la proportionnelle sans listes, qui par conséquent enlève beaucoup de pouvoirs aux états-majors des partis. Vraie ou fausse, une anecdote rapporte que Thomas Hare a imaginé ce système sur un souvenir de collège. Il s'agissait d'élire un comité de collégiens. Les candidats s'avancent et se placent côte à côte ; les autres élèves expriment leur soutien à un candidat en allant se placer derrière lui. Les supporters qui se retrouvent presque seuls derrière un candidat comprennent qu'il n'a aucune chance d'être élu et vont alors soutenir celui des autres candidats qui a leur deuxième préférence ; inversement, s'ils se sont placés derrière un candidat déjà certain d'être élu, ils iront soutenir le deuxième candidat dans leur liste de préférence, et ainsi de suite. Lorsque toute cette agitation s'est apaisée, la plupart des élèves sont placés derrière des candidats qui vont être élus, et chacun de ces candidats a exactement le nombre de supporters nécessaire.

S'il y a dans une circonscription 3 sièges à pourvoir et 9 candidats, un bulletin de vote pourrait se présenter ainsi :

Instructions pour le vote		
	candidats	votre rang pour ce candidat
Vous devez cocher le 1 pour le candidat qui a votre première préférence, le 2 pour celui qui a votre deuxième préférence, et ainsi de suite.	ADAM Jacques socialiste	1 2 3 4 5 6 7 8 9
	BRON Paul UDF	1 2 3 4 5 6 7 8 9
	CLOUET Jeanne socialiste	1 2 3 4 5 6 7 8 9
	DOUX Anne UMP	1 2 3 4 5 6 7 8 9
Attention : vous pouvez cocher un seul chiffre par ligne, un seul chiffre par colonne.	ÉLOIS Jacques socialiste	1 2 3 4 5 6 7 8 9
	FRAIN Louis socialiste	1 2 3 4 5 6 7 8 9
	GRAND Martine UMP	1 2 3 4 5 6 7 8 9
	HOCQ Élisabeth UMP	1 2 3 4 5 6 7 8 9
	IFRAH Jérémie UDF	1 2 3 4 5 6 7 8 9

La règle de dépouillement suit alors le même cheminement que les élèves de l'histoire. On calcule d'abord le nombre de suffrages nécessaire pour être élu. S'il y a 1 000 suffrages exprimés pour 3 sièges, le diviseur électoral est de 333,3 : en fait, pour répartir davantage de sièges dès la première étape, on utilise un diviseur plus petit, 251 (c'est le plus petit nombre qu'on puisse choisir qui ne risque pas de conduire à l'attribution d'un siège de trop, puisque la situation dans laquelle quatre candidats auraient recueilli 251 voix est arithmétiquement impossible). Nous reviendrons plus loin sur les choix possibles pour le diviseur.

Supposons que le dépouillement des premières préférences donne :

ADAM 100	DOUX 270	GRAND 180
BRON 30	ÉLOIS 70	HOCQ 130
CLOUET 120	FRAIN 80	IFRAH 20

Seule Doux obtient le quotient, et est donc proclamée élue. Mais elle a 19 voix de trop qui vont être réparties en fonction des deuxièmes préférences de ses supporters. Si ces deuxièmes préférences sont distribuées comme suit :

BRON 20 GRAND 200 HOCQ 20 IFRAH 30

les 19 voix excédentaires seront réparties proportionnellement à ces deuxièmes préférences, ce qui donne

BRON 1,4 GRAND 14,1 HOCQ 1,4 IFRAH 2,1

Même avec ces renforts, aucun autre candidat n'obtient le quotient : on élimine alors le moins bien placé, Ifrah, et ses 22,1 voix sont réparties conformément à la préférence suivante de ses supporters. La répartition est beaucoup plus simple dans le cas d'un candidat éliminé car il n'y a pas de calcul de partage à faire : toutes ses voix sont réparties conformément à la préférence suivante. Le processus continue ainsi jusqu'à ce que tous les sièges soient pourvus.

Ce système a été imaginé et utilisé au Danemark, de 1855 à 1915, avant d'être adopté en Irlande, où il a connu son vrai succès, au point que par deux fois, en 1959 et 1969, les Irlandais ont rejeté par référendum des propositions d'abandon du système. Il est vrai que, malgré la complexité du dépouillement, il présente de nombreux avantages. Le premier, qui est probablement le but poursuivi par ses inventeurs, est, par rapport au scrutin majoritaire, de diminuer le nombre de votes gaspillés. Dans notre exemple, ce sont 753 électeurs (3 fois 251) qui peuvent légitimement penser que leur vote a été déterminant. Le deuxième est, par rapport au scrutin proportionnel avec listes, de rendre aux électeurs la décision de choisir nommément leurs représentants.

En revanche, il n'est pas exempt de certains paradoxes déjà dénoncés pour d'autres types de scrutin. Un exemple le montre simplement : 5 candidats se présentent devant 1 000 électeurs pour 2 sièges à pourvoir. Le quotient choisi est 334 voix, une fois de plus le plus petit nombre impossible à obtenir par plus de 2 candidats (puisque 3 fois 333 voix est imaginable, mais pas 3 fois 334). Le dépouillement donne les résultats suivants :

Ordre de préférences	Suffrages
Adam, Bron, Clouet, Doux, Élois	210
Bron, Adam, Clouet, Doux, Élois	90
Clouet, Bron, Adam, Doux, Élois	130
Doux, Clouet, Bron, Adam, Élois	150
Élois, Doux, Clouet, Bron, Adam	420

Élois est élu, avec 86 voix de trop. Les partisans d'Élois ayant tous la même deuxième préférence, le partage est vite fait, tous les votes excédentaires seront traités comme ayant choisi l'ordre Doux, Clouet, Bron, Adam, ce qui conduit au tableau :

Ordre de préférences	Suffrages
Adam, Bron, Clouet, Doux	210
Bron, Adam, Clouet, Doux	90
Clouet, Bron, Adam, Doux	130
Doux, Clouet, Bron, Adam	150
Doux, Clouet, Bron, Adam	86

On peut regrouper les deux dernières lignes, mais, même ainsi, aucun candidat n'obtient 334 voix ; on élimine celui qui a le moins de premières préférences, Bron, ce qui conduit au tableau :

Ordre de préférences	Suffrages
Adam, Clouet, Doux	210
Adam, Clouet, Doux	90
Clouet, Adam, Doux	130
Doux, Clouet, Adam	236

On peut regrouper les deux premières lignes, mais même ainsi, aucun candidat n'obtient 334 voix ; on élimine celle qui a le moins de premières préférences, Clouet, ce qui conduit au tableau :

Ordre de préférences	Suffrages
Adam, Doux	300
Adam, Doux	130
Doux, Adam	236

ce qui conduit à attribuer le dernier siège à Adam.

Le paradoxe réside dans la remarque que Mme Doux est un vainqueur à la Condorcet :

* Si elle est opposée à Adam, elle l'emporte par 570 voix contre 430.
* Si elle est opposée à Bron, elle l'emporte aussi par 570 voix contre 430.
* Si elle est opposée à Clouet, elle l'emporte encore par 570 voix contre 430.
* Si elle est opposée à Élois, elle l'emporte par 580 voix contre 420.

Le système de Hare n'est donc pas, lui non plus, l'idéal que nous recherchons.

CHAPITRE 6

Les inégalités de représentation

En dehors du mode de scrutin à la représentation proportionnelle, nombreux sont les problèmes pratiques dans lesquels un certain nombre d'objets non divisibles doivent être répartis « équitablement » entre différents demandeurs. Normalement, « équitablement » comporte l'idée de proportionnalité. Si trois amis investissent dans un élevage de chevaux, on peut tenir pour équitable qu'ils se partagent le produit de l'élevage proportionnellement à leurs investissements : celui qui a investi deux fois plus qu'un autre doit recevoir deux fois plus de poulains. En matière électorale, cette forme d'équité, la proportionnalité entre les groupes et leurs représentations, trouve deux champs d'application : la répartition entre les listes concurrentes des sièges mis en compétition, elle a été présentée au chapitre précédent, et la répartition entre circonscriptions territoriales des sièges à pourvoir par l'élection.

La répartition entre circonscriptions

Il arrive que la question ne soit pas posée, l'ensemble du pays formant une seule circonscription électorale qui désigne alors la totalité des élus. C'est par exemple le cas d'Israël, où les 120 députés qui forment la Knesset sont élus directement par l'ensemble des électeurs, en un collège unique. C'était le cas en France pour l'élection des représentants au Parlement européen jusqu'à l'élection de 1999 : le territoire national formait une circonscription unique qui désignait les 87 députés, les listes en compétition étant par conséquent des listes nationales. Le Danemark, la Grèce, les Pays-Bas, le Portugal ont adopté le même système. Le reproche le plus généralement formulé est la distance ainsi introduite entre les électeurs et les élus : les listes de candidats sont concoctées par les états-majors nationaux, et le choix des candidats, sauf peut-être en ce qui concerne la tête de liste, n'a guère d'influence sur les électeurs.

À l'opposé, le pays peut être divisé en autant de circonscriptions qu'il y a de députés à élire ; chaque circonscription élit un seul représentant, et le scrutin est alors purement et simplement majoritaire. Chaque électeur reconnaît un député comme « son député », et du coup celui-ci « doit rendre à ses électeurs toutes sortes de services », selon le mot de Jean Jaurès[1].

Entre ces deux extrêmes, et dans l'espoir de cumuler les avantages de l'un et l'autre système, on peut aussi découper le territoire en circonscriptions qui éliront chacune plusieurs représentants. Ainsi, l'Italie a réparti ses 87 sièges au Parlement européen entre cinq grandes circonscriptions régionales : le Nord-Est désigne 20 représentants, le Nord-Ouest 22, le Centre 17, le Sud 19 et la circonscription formée par la Sicile et la Sardaigne 9. En France, lors de l'éphémère rétablissement du scrutin de liste pour les élections législatives de 1986, les circonscriptions étaient les départements. La loi du 11 avril 2003 a abrogé le système d'élections des membres du Parlement européen dans une circonscription nationale unique et créé huit circonscriptions, l'Ile-de-France, l'Outre-mer, et six circonscriptions regroupant chacune trois, quatre ou cinq régions administratives. Aux États-Unis, les sièges à la Chambre des représentants sont attribués dans le cadre des États, de même que les mandats de grands électeurs pour l'élection du président.

La base de proportionnalité

Les circonscriptions étant définies, il reste à préciser le nombre de sièges à pourvoir dans chacune. Comment procéder ? Sur les principes règne une belle unanimité : la justice exige la proportionnalité. C'est ainsi que la Constitution américaine prévoit en son article 1er que « les sièges de représentants et les impôts directs seront répartis entre les États selon leurs nombres respectifs d'habitants... » *(Representatives and direct taxes shall be apportioned among the several States [...] according to their respective numbers...).* Il n'y a aucun doute dans l'esprit de chaque Américain : « *according to...* » implique une idée de proportionnalité.

Les textes fondamentaux français sont plus formels encore : selon l'article 2 de la Constitution, la République « assure l'égalité devant la loi de tous les citoyens », selon l'article 3 « le suffrage est toujours universel, égal et secret ». Le suffrage « égal » semble demander que chaque député représente le même nombre d'électeurs.

Lewis Carroll avait exprimé cela dès 1884, en posant en principe[2] que « chaque électeur doit être représenté par la même fraction de député, ou, ce qui revient au même, que chaque député représente le même nombre d'électeurs ». Plusieurs commentateurs malicieux se sont amusés à relever une erreur chez ce professeur de mathématiques : si les deux conditions sont bien équivalentes en cas d'égalité exacte (il revient au même de dire que deux nombres sont égaux ou que leurs inverses sont égaux), ce n'est plus vrai dans le cas d'égalité approchée, ce qui est pourtant le seul cas réaliste ; deux nombres peuvent être très éloignés, comme 100 et 1 000, et leurs inverses peuvent être proches (ici 0,01 et 0,001).

Les électeurs ou les habitants ?

Mais une seconde question se pose : le principe constitutionnel d'égalité doit-il être interprété en considérant les électeurs ou les habitants ? La question a été souvent discutée avec passion. La difficulté est d'ailleurs plus politique que mathématique. Dans sa première rédaction, l'article 1er section 2 de la Constitution des États-Unis prenait pour base du calcul « le nombre des hommes libres, et trois cinquièmes des autres personnes sauf les Indiens ne payant pas de taxes ». Le Quatorzième amendement supprima la règle des trois cinquièmes en 1868, la discrimination envers les Indiens cessa en 1940, certains Américains résidant à l'étranger purent se faire décompter dans un État à partir de 1970, et le débat se poursuit de nos jours avec d'autres catégories d'« exclus du décompte ». En France, la contradiction figure dans le texte même de notre Constitution ; aux termes de son article 3, « la souveraineté nationale appartient au peuple [...]. Aucune section du peuple ni aucun individu ne peut s'en attribuer l'exercice ». C'est donc le nombre des habitants qui doit servir de base au calcul. Mais comme le même article indique que le suffrage est égal, il semble en résulter que c'est le nombre des électeurs qui importe.

La question fut passionnément débattue à la Chambre des députés dès la première introduction du scrutin de liste en 1885. Au cours du débat parlementaire, un député, Roys, proposa de substituer, pour le calcul du nombre de députés, le nombre des électeurs inscrits à celui de la population totale. La mesure était loin d'être anodine : selon la proportion des familles nombreuses, selon la présence de casernes ou de prisons, la différence pouvait être sensible. Puis le député Sonnier proposa sans plus de succès de retenir le nombre des habitants diminué de celui des étrangers, des détenus et des militaires, tous privés à l'époque du droit de vote. En définitive, seuls les étrangers furent exclus du décompte dans le texte qui allait devenir la loi du 16 juin 1885. En 1946, l'Assemblée constituante avait vivement débattu du choix du nombre des habitants ou du nombre des électeurs comme base de calcul. La commission de la Constitution avait fixé pour principe que la distribution des sièges s'effectuerait en fonction de la population et non pas des électeurs inscrits. Mais finalement les raisons de commodité l'ont emporté ; en effet, les listes électorales sont révisées chaque année, alors que les recensements, au surplus moins rigoureux, sont plus rares. C'est ainsi qu'il fut décidé de revenir au nombre d'électeurs. Le rejet du projet de Constitution par le référendum du 5 mai 1946 a fait disparaître ces affrontements mais non les arguments.

Le débat a été finalement tranché par le Conseil constitutionnel ; il a estimé, dans sa décision du 1er juillet 1986, qu'il résultait de ces dispositions constitutionnelles que l'Assemblée nationale devait être élue sur des bases « essentiellement démographiques », c'est-à-dire en prenant pour base du calcul les nombres d'habitants.

Cependant, l'égalité juridique n'est pas aussi exigeante que l'égalité arithmétique, selon le Conseil constitutionnel. Celui-ci a reconnu au législateur la faculté d'atténuer « dans une mesure limitée » la portée de cette règle générale. Peut-être jugerait-il que le choix du nombre des électeurs au lieu du nombre des habitants est une « mesure limitée » : la question n'a pas été posée à l'occasion de la loi du 11 avril 2003 puisque le gouvernement avait choisi pour base la « population du dernier recensement général ».

La répartition des sièges

Lors de la réforme de 1986 qui vit le retour au scrutin majoritaire, le gouvernement, par souci de ne pas ouvrir la boîte de Pandore, avait considéré comme intangible le nombre de députés par département : cela évitait de le mettre en débat et de le soumettre au contrôle du Conseil constitutionnel. Pour 577 députés et 38 000 000 d'électeurs, le nombre moyen d'électeurs représentés par un député était d'environ 66 000, nombre moyen qui, en réalité, allait de 28 000 en Lozère à 90 000 pour le Var, pour ne parler que de la métropole.

Du point de vue purement arithmétique, l'exigence de proportionnalité s'accommode parfaitement de circonscriptions très inégales, sauf si chacune n'a qu'un siège à pourvoir ; mais, politiquement, la décision est plus difficile, le législateur hésitant à n'accorder aux plus petites circonscriptions que leur portion congrue. Il y a une sorte de seuil à l'envers et, dès lors qu'une circonscription est reconnue comme telle, il n'est guère possible de lui refuser un siège, si proche de zéro que soit son contingent. La même problématique, encore accrue par le respect de la souveraineté des États, s'est imposée au niveau européen pour les rédacteurs du traité de Nice et leurs prédécesseurs. Dans le Parlement européen de 2003, les élus représentent un nombre très variable d'habitants :

	Population	Sièges	Habitants par élu
Allemagne	82 037 000	99	829 000
Royaume-Uni	59 280 000	87	681 000
France	58 973 000	87	678 000
Italie	57 613 000	87	662 000
Espagne	39 394 000	64	616 000
Pays-Bas	15 760 000	31	508 000
Grèce	10 522 000	25	421 000
Belgique	10 214 000	25	409 000
Portugal	9 980 000	25	399 000
Suède	8 854 000	22	402 000
Autriche	8 083 000	21	385 000
Danemark	5 314 000	16	332 125
Finlande	5 130 000	16	321 000
Irlande	3 735 000	15	249 000
Luxembourg	429 000	6	71 000

Dans ces conditions d'inégalités flagrantes, la question de savoir si, parmi les habitants, doivent être comptés les étrangers membres des autres pays de l'Union apparaît comme mineure.

À la recherche de la proportionnalité

Lorsque la géographie ou l'histoire détermine les subdivisions, les législateurs à la recherche de la proportionnalité se heurtent à deux obstacles : les petites circonscriptions et la nécessaire approximation.

L'existence de petites circonscriptions crée une première entorse, déjà mentionnée : bien évidemment, nul ne souhaite les priver de toute représentation. Ainsi, on attribue un siège de député et un siège de sénateur à Saint-Pierre-et-Miquelon et ses 6 000 habitants, le dix millième de la population française, alors que la proportionnalité devrait valoir à ces îles un dix-millième de l'Assemblée nationale soit environ 0,06 député ! Une autre solution pourrait être de regrouper ces îles avec d'autres territoires. C'est par exemple la solution retenue en 2003 pour l'élection européenne, lorsque fut créée une circonscription regroupant l'ensemble de l'outre-mer ; il n'est pas certain qu'une telle solution serait acceptée pour une élection nationale, les habitants de Saint-Pierre-et-Miquelon risquant de s'estimer gouvernés de l'extérieur, noyés qu'ils seraient dans un corps électoral cent cinquante fois plus nombreux que le leur.

Le second obstacle est l'impossibilité mathématique d'obtenir une proportionnalité parfaite, que l'on veuille s'ajuster aux nombres des habitants ou à ceux des électeurs. S'il avait fallu répartir entre les départements 321 sièges de sénateur, pour une population de 60 millions d'habitants, il aurait fallu attribuer à chaque département autant de sièges qu'il comporte de fois 186 916 habitants (c'est le quotient de 60 millions par 321). Que fera-t-on pour un département qui comporte 370 000 habitants ? (il n'a pas « droit » à deux sièges, mais un seul ne fait pas le compte !). Et pour 500 000 habitants ? Pour un million ? Bien entendu cela ne tombe jamais juste, et, en fin de parcours, il restera des habitants qui peuvent s'estimer non représentés. La loi du 23 septembre 1948, qui donne la clé de répartition des sièges de sénateur ne prononce pas le mot de « proportionnalité », mais impose une procédure d'attribution qui tente de concilier les impératifs contradictoires du principe de proportionnalité. Elle accorde un siège jusqu'à 150 000 habitants, puis un siège supplémentaire par tranche de 250 000 habitants ou fraction de ce nombre.

Deux observations peuvent être faites sur ce dispositif. En dehors même des petits départements, la proportionnalité n'est qu'approchée, le même nombre de sièges étant attribué pour 151 000 habitants ou pour 399 000. Ensuite, il ne s'agit pas d'une « répartition », car le nombre total de sièges attribués ne peut être connu qu'après application de la règle légale à la population réelle.

Une règle analogue a été employée lorsque, en 1986, l'effectif de l'Assemblée nationale a été augmenté de 491 à 577 : on attribua un siège par tranche de 108 000 habitants (ou fraction), avec un minimum de deux sièges par département. Si cette règle reste inchangée, il faudrait, pour suivre l'augmentation démographique après la publication des résultats du recensement de 1999, créer

39 nouveaux sièges de députés. Si l'on veut éviter d'augmenter le nombre des députés, il va falloir changer de méthode de calcul, ou augmenter le nombre de 108 000 (ou les deux). La conséquence inéluctable serait que certains départements, en expansion démographique, gagneraient des sièges au détriment d'autres. Dans une simulation faite pour le CEVIPOF (Centre d'études de la vie politique française), Michel Louis Lévy a observé qu'il faudrait, pour maintenir le nombre de sièges actuel, faire passer les tranches à 115 500 habitants ; dans ce cas, Paris perdrait deux sièges, et seize départements en perdraient un. Quand on voit le tumulte que la fermeture d'une école sans élèves ou d'une gare sans voyageurs déclenche, on peut parier que le Parlement sera réticent à voter une telle loi, et qu'il faudra que le gouvernement procède par ordonnance s'il veut éviter cet accroissement de la dépense publique. En mai 2003, le Conseil constitutionnel, tirant le bilan des législatives de 2002, rappelait d'ailleurs cette nécessité d'actualiser le découpage au vu du recensement le plus récent. Ce rappel était l'exacte application du code électoral, dont l'article L 125 indique : « Il est procédé à la révision des limites des circonscriptions en fonction de l'évolution démographique après le deuxième recensement général de la population suivant la dernière délimitation. »

Attribution ou répartition

Ce genre de difficulté ne se serait pas posé si la loi avait indiqué d'une part l'effectif de l'Assemblée, et d'autre part une méthode de répartition de cet effectif entre les départements. C'est par exemple ce qu'il a bien fallu faire aux élections européennes, pour lesquelles le nombre de sièges attribués à la France est fixé par le traité de Nice. L'article 15 de la loi du 11 avril 2003 indique : « Les sièges à pourvoir sont répartis entre les circonscriptions proportionnellement à leur population avec application de la règle du plus fort reste. » C'est très exactement la méthode décrite au chapitre précédent.

Cela n'a pas empêché les députés ayant saisi le Conseil constitutionnel contre la loi de 2003 de feindre de s'étonner du résultat du calcul : ils soulignaient par exemple que la circonscription Est a une moyenne de 737 637 habitants par siège, l'outre-mer 833 718 et le Sud-Est 800 904 ; ces différences sont pourtant une conséquence inéluctable de toute règle de partage proportionnel dès lors que les attributions sont par nature des nombres entiers.

Notons pourtant que cette disposition légale n'assure pas que les plus petites circonscriptions seront représentées, leur « reste » pouvant s'avérer insuffisant pour leur assurer un siège. Le risque n'est pas actuel, puisque, avec 87 sièges, la plus petite des circonscriptions prévues par la loi a droit à deux sièges. Pour les élections régionales en revanche, cette garantie n'existait pas et le projet initial du gouvernement ajoutait une précision : « Le nombre de sièges attribué à une section ne peut être inférieur à 1. » Les rédacteurs du projet avaient évidemment sous les yeux le tableau exact des populations, ce qui leur permettait de vérifier que la répartition était techniquement possible suivant la règle posée, ce qui n'allait pas de soi. En effet, les phrases :

– Les sièges à pourvoir sont répartis entre les circonscriptions proportionnellement à leur population avec application de la règle du plus fort reste,

– Le nombre de sièges attribué à une section ne peut être inférieur à 1,

sont logiquement incompatibles. Il suffit d'imaginer six sièges à répartir entre sept sections !

À la mémoire du gouverneur Gerry

Dans un système de scrutin majoritaire, près de la moitié des électeurs, nous l'avons vu, peuvent considérer que leur vote a été vain. Ce nombre diminue dans les systèmes proportionnels, d'autant plus fortement que la circonscription à laquelle ils appartiennent a davantage de sièges à pourvoir. Mais il peut dans certains cas rester significatif.

Si le découpage des circonscriptions, par exemple à un seul siège, était laissé à l'arbitraire du parti au pouvoir, la tactique du ministre de l'Intérieur serait claire : essayer de faire en sorte que les députés de son parti l'emportent de justesse, et que les députés de l'opposition l'emportent très largement dans leurs circonscriptions respectives. Sans donner à ces mots leur sens administratif usuel, imaginons un territoire comportant 9 000 électeurs parfaitement divisé en 3 cantons d'une part, en 3 arrondissements d'autre part. Le tableau indique le nombre des électeurs favorables au gouvernement parmi les 1 000 électeurs appartenant au canton et à l'arrondissement désigné :

	Canton nord	Canton centre	Canton sud
arrondissement ville	550	400	600
arrondissement banlieue	400	450	660
arrondissement rural	350	600	600

Si le ministre de l'Intérieur décide que chaque canton élit un député, les résultats seront :
canton nord : 1 300 suffrages sur 3 000, défaite
canton centre : 1 450 suffrages sur 3 000, défaite
canton sud : 1 860 suffrages sur 3 000, victoire

S'il décide que chaque arrondissement élit un député, les résultats seront :
arrondissement ville : 1 550 suffrages sur 3 000, victoire
arrondissement banlieue : 1 510 suffrages sur 3 000, victoire
arrondissement rural : 1 550 suffrages sur 3 000, victoire
Devinette : quel sera le choix du ministre ?

Que cette situation soit ainsi provoquée ou qu'elle soit naturelle, un parti dont les électeurs sont exagérément concentrés dans quelques circonscriptions se trouve donc désavantagé. À l'inverse, d'ailleurs, si ses suffrages sont trop dispersés, il n'atteindra nulle part la majorité (ou même le seuil s'il s'agit d'un scrutin proportionnel). Il arrive que de tels paradoxes s'observent à l'échelle d'un pays tout entier et donnent ainsi le pouvoir à un parti ou à une coalition minoritaire. Les exemples sont nombreux : un des plus célèbres est l'élection en 2000 de George W. Bush à la présidence des États-Unis, indépendamment des contestations concernant l'élection en Floride. De nombreuses bonnes âmes ont ironisé sur ce président élu et minoritaire, en oubliant ou en feignant d'oublier que c'était le seizième président des États-Unis à être ainsi élu.

Encore, dans tous ces cas, le découpage en circonscriptions et le calcul du nombre de sièges de chacune ont été effectués par des commissions indépendantes ou sous le contrôle d'une juridiction. Plus remarquable est la performance de Gaston Defferre en 1983 : à la fois ministre de l'Intérieur et candidat à la mairie de Marseille, il a découpé la ville en arrondissements de façon si habile que Jean-Claude Gaudin, avec 2 600 voix d'avance sur l'ensemble de la ville, se trouvait écarté de la mairie. Cet « effet Defferre » est connu dans les pays anglo-saxons sous le nom de « *gerrymander* ». Le nom remonte à 1812, lorsque le gouverneur du Massachusetts Elbridge Gerry a eu à délimiter les circonscriptions pour les élections sénatoriales. Il les découpa si bien que son propre parti, avec 50 164 suffrages, remporta 29 sièges, contre 11 à ses opposants, qui avaient pourtant obtenu 51 766 suffrages ! Certes, l'entreprise était difficile et les frontières des circonscriptions passablement tourmentées, au point qu'un journaliste les a comparées à une salamandre, (*salamander*) et a conclu son article en écrivant : « *I call it a gerrymander.* » Et voilà comment on passe à la postérité !

L'accusation de gerrymander est d'ailleurs inévitable, à tort ou à raison, chaque fois que le découpage est décidé par une autorité politique. Charles Pasqua, ministre de l'Intérieur au moment du retour au scrutin majoritaire en 1986, n'a pas été épargné par de tels soupçons, mais soit qu'il fut moins habile que son prédécesseur, soit qu'il fut plus honnête, le résultat des élections de 1988 montra que les voix « gaspillées » étaient nettement plus nombreuses à droite qu'à gauche. Selon un calcul de Jean-Luc Parodi, chercheur à la Fondation nationale des sciences politiques, les députés élus avec plus de 65 % des suffrages étaient au nombre de 34 pour la gauche et 57 pour la droite.

Les parades institutionnelles

Le gerrymander, ou simplement le soupçon d'une telle manœuvre, est naturellement un danger pour la démocratie. À défaut d'autorité indépendante, quelques garde-fous sont généralement reconnus dans les pays démocratiques. Il est demandé que le découpage repose essentiellement sur des limites naturelles, voies de communication ou limites administratives ; c'est ainsi que la loi d'habilitation de 1986 imposait d'assez nombreuses conditions au gouvernement : « Sauf en ce qui concerne les départements dont le territoire comporte des parties insulaires ou enclavées, les circonscriptions sont constituées par un territoire continu. En outre, à l'exception des circonscriptions qui seront créées dans les villes de Paris, Lyon et Marseille et dans les départements comprenant un ou des cantons non constitués par un territoire continu, ou dont la population de 1982 est supérieure à 40 000 habitants, la délimitation des circonscriptions respecte les limites cantonales. »

Le Conseil constitutionnel, dans sa décision du 2 juillet 1986, a d'ailleurs tenu à renforcer les contraintes en précisant que « la faculté de ne pas respecter les limites cantonales dans les départements comprenant un ou plusieurs cantons non constitués par un territoire continu, ou dont la population est supérieure à 40 000 habitants ne vaut que pour ces seuls cantons » et que « la délimitation des circonscriptions ne devra procéder d'aucun arbitraire ». Ces précisions sont très importantes, et notamment la dernière, qui ouvre un droit de recours quasiment général contre tout découpage, le juge étant en mesure d'apprécier l'arbitraire éventuel de toute délimitation.

À l'étranger

La même question se pose dans beaucoup de pays, et les parades imaginées sont assez voisines.

En Grande-Bretagne, c'est le Parlement qui assure cette mission. Quatre commissions parlementaires examinent respectivement les circonscriptions pour l'Angleterre, le pays de Galles, l'Écosse et l'Irlande du Nord. C'est le *speaker* de la Chambre des communes qui les préside. L'objectif est naturellement, s'agissant de scrutins uninominaux, d'obtenir des circonscriptions dont la population soit sensiblement la même. Mais l'originalité du système est la possibilité ouverte, en particulier par un groupe d'au moins cent électeurs, de contester la proposition, obligeant alors à l'ouverture d'une enquête parlementaire.

En Allemagne, c'est aussi au pouvoir législatif que revient la décision finale, mais les propositions sont formulées par un collège d'experts désigné par le chef de l'État, auquel s'adjoint le chef du Bureau national de la statistique ; la règle est de remettre en cause les limites de toute circonscription dont la population a varié de 15 %. Mais le dernier mot revient au Bundestag, sous le contrôle de la Cour constitutionnelle. Les révisions ne soulèvent guère de polémiques, dans la mesure où des correctifs proportionnalistes existent au niveau national.

En Italie, c'est le gouvernement, et non le Parlement, qui fixe les limites des circonscriptions. Depuis la loi de 1993, les élections législatives se déroulent aussi selon un système mixte, dans 475 circonscriptions uninominales et 155 circonscriptions où l'élection se fera à la proportionnelle. Là encore, le travail est préparé par une commission d'experts présidée par le directeur de l'Office national de la statistique. La loi ne précise pas ce qui doit déclencher une révision, et le découpage en vigueur pour les élections de 1994 l'est resté pour celles de 1996 et 2001. Certains observateurs pensent qu'une révision pourrait être entreprise pour les élections de 2006.

Les inégalités de découpage et le gerrymander étant éliminés, il devient tentant d'énoncer une relation simple entre le partage des voix et celui des sièges.

La prétendue loi des cubes

Se fondant sur une série d'observations aux législatives britanniques, James Parker Smith a énoncé en 1909 devant la Commission royale sur les systèmes électoraux la célèbre *loi des cubes* : si deux partis recueillent, l'un A voix et l'autre B, autrement dit s'ils se partagent les voix du pays dans le rapport A/B, les sièges se trouvent répartis entre eux dans le rapport A^3/B^3. Bien entendu, il s'agit du système électoral britannique, majoritaire à un seul tour. Par exemple, si les voix sont partagées en 60 % et 40 %, dans le rapport de 1,5 à 1 par conséquent, les sièges seront répartis dans le rapport de $1{,}5^3$ à 1, soit environ 3,37 pour 1, ce qui donne à peu près 76 % et 24 %.

Cette prétendue loi est soumise à un si grand nombre de conditions et de correctifs qu'on s'étonne d'avoir vu tant de politologues la prendre au sérieux, pour ne pas évoquer ceux qui l'appliquent à la France et à son scrutin à deux tours. Elle ne résulte que d'observations faites dans le cas de deux coalitions seulement, pas trop inégales en force, sans que les voix de l'une d'entre elles ne soit trop « gaspillées » par une concentration excessive dans quelques districts... On songe aux courbes des économistes, qui sont toujours approximativement des droites, pourvu qu'on se limite à un petit intervalle, qu'on ne soit pas trop exigeant sur la précision et qu'on écarte les cas exceptionnels !

D'ailleurs, comment imaginer formuler une « loi » lorsque les circonscriptions où la victoire est acquise de quelques voix seulement sont devenues si nombreuses : pour les élections législatives françaises de 1988, Jean-Luc Parodi a calculé qu'il aurait suffi, sur plus de trente millions d'électeurs, de 1 411 voix de plus au parti socialiste (judicieusement réparties !) pour qu'il emporte la majorité absolue à l'Assemblée nationale ; en sens inverse, il aurait suffi de 2 612 voix de plus à la droite pour garder le pouvoir. À ce niveau de subtilité, le scrutin d'arrondissement s'approche d'un jeu de hasard. Cela ridiculise quelque peu les commentaires qui ont été faits à propos de ces élections sur la « grande sagesse » du corps électoral qui avait voulu donner une majorité au parti du président de la République, mais pas une majorité absolue.

Les paradoxes

La technique mathématique étant la même, les paradoxes dont la méthode des plus forts restes est affligée se produisent tout autant pour la répartition territoriale : paradoxe démographique ou paradoxe de l'Alabama par exemple. Ce dernier tire d'ailleurs son nom d'une situation de répartition territoriale ; les lettres A, T, I que nous avons employées au chapitre précédent symbolisaient l'Alabama, le Tennessee et l'Indiana et les nombres de suffrages utilisés n'étaient autres que les quotients par 100 des effectifs de population pris en considération à l'époque par le Congrès. Il s'agissait de réviser la répartition des sièges de représentants entre les États de l'Union à la suite du recensement de 1880.

Le Congrès avait demandé à l'Office du recensement une simulation de ce que serait, avec cette méthode, la répartition entre les États d'un nombre quelconque de sièges compris entre 275 et 350. Dans une lettre au Congrès datée du 25 octobre 1881, le directeur de cet office indiquait que, pour une chambre de 299 membres, l'Alabama aurait 8 représentants, mais qu'il n'en aurait que 7 pour une chambre de 300 membres. Le paradoxe avait trouvé son nom.

D'où vient cette apparente absurdité ? Lorsque l'effectif passe de 299 à 300, la « juste part » de l'Alabama, nombre théorique de sièges qui correspond à la proportion de sa population au sein de l'Union, augmente dans la même proportion. La juste part de n'importe quel État augmente d'ailleurs dans la même proportion (qui est le quotient de 300 par 299) mais pas de la même quantité absolue. Et ce qui s'est produit, c'est que l'Alabama, dont le reste était tout juste suffisant pour lui donner un siège de plus au plus fort reste, s'est trouvé devancé par deux autres États, dont la juste part a augmenté davantage en valeur absolue. Le tableau ci-dessous indique clairement cette situation :

	Alabama	Texas	Illinois
juste part de 299	7,646	9,640	18,640
juste part de 300	7,671	9,672	18,702
augmentation en %	0,333	0,333	0,333
augmentation brute	0,025	0,032	0,062

Les restes du Texas et de l'Illinois ont augmenté davantage et devancent celui de l'Alabama : ces deux États gagnent un siège, et la Chambre ayant augmenté d'une seule unité, l'Alabama en perd un.

La solution adoptée fut le choix empirique d'un effectif adéquat, propre à recueillir un consensus suffisant, c'est-à-dire en fait un effectif dont une diminution n'aurait pas entraîné l'augmentation de la représentation d'un État. Mais cette « solution » n'était possible que parce que les contingents étaient connus au moment de la décision ; dans une compétition électorale, ce n'est pas le cas et le paradoxe entache irrémédiablement le système des plus forts restes.

Le paradoxe du nouvel État

Une variante de ces paradoxes est apparue, toujours aux États-Unis, à l'occasion de l'admission de l'Oklahoma dans l'Union, en 1907. La Chambre des représentants comportait alors 386 membres, pour une population totale de 74 562 608 personnes. Le nouvel État ayant environ un million d'habitants, il lui revenait 5 sièges, qui lui furent accordés, portant à 391 l'effectif total de la Chambre. Mais si l'on recalcule par la méthode des plus forts restes les parts de l'Oklahoma, du Maine et de l'État de New York pour une chambre de 391 membres, on trouve bien 5 représentants pour le premier, mais 4 pour le Maine et 37 pour New York, alors que le Maine n'en avait initialement que 3 et New York 38 ! Ainsi, tous les autres nombres restant les mêmes, l'arrivée d'un nouvel État dans l'Union change la « juste » répartition des 41 sièges revenant conjointement au Maine et à New York.

L'explication de ce paradoxe est encore la même que pour les précédents : l'arrivée d'un nouvel État et la création concomitante des sièges supplémentaires a affecté dans une même proportion les « justes parts » de chacun des autres États, en particulier du Maine et de New York, mais la diminution absolue a été plus grande pour les États les plus représentés, ce qui pouvait modifier les priorités pour l'attribution d'un siège supplémentaire au plus fort reste.

La méthode, malgré son apparence naturelle, est donc entachée d'une sorte de vice logique. C'est pourquoi on s'est mis à la recherche de nouvelles méthodes moins contestables. Nous en verrons quelques-unes au prochain chapitre.

CHAPITRE 7

Les méthodes à diviseurs

Puisque c'est au nom des restes qu'on se dispute les sièges qui n'ont pas été attribués au quotient, une idée naturelle pourrait être de diminuer le « prix » d'un siège en nombre de suffrages, ce qui permettrait d'en attribuer davantage lors de cette première étape et, corrélativement, de diminuer le nombre de sièges complémentaires à répartir. On pourrait même rêver qu'après les attributions au quotient, il n'y ait plus du tout de sièges à répartir ; ainsi, il ne serait même pas nécessaire de calculer les restes.

Maintenant que nous avons remarqué la similitude mathématique de la répartition des sièges entre listes concurrentes avec la répartition entre territoires, nous pourrons choisir indifféremment les exemples dans l'un ou l'autre domaine.

Diminuer le nombre de sièges non attribués

De nombreuses propositions ont été faites dans ce but, et certaines ont été utilisées pour des élections politiques dans quelques pays. Voici les principales.

Le diviseur de Hagenbach-Bischoff. Une première idée consiste à calculer le diviseur électoral comme s'il y avait un siège de plus à distribuer ; s'il y a 99 sièges à répartir entre des listes pour lesquels les suffrages exprimés sont au total de dix millions, on ne prendra pas pour « prix » d'un siège le quotient entier de dix millions par 99 (environ 101 010), mais on divisera la population totale par 100. Chaque siège ne coûte plus que 100 000 suffrages, ce qui laisse espérer qu'il en soit ainsi attribué davantage. Ce diviseur est utilisé pour les élections législatives en Autriche, en Grèce, au Luxembourg, en République tchèque, à Malte, en Slovaquie...

Le diviseur d'Imperiali. Pour diminuer encore davantage le nombre des sièges non attribués au quotient, ce diviseur, utilisé en Italie jusqu'en 1993, est calculé comme s'il y avait deux sièges de plus à distribuer ; s'il y a 99 sièges à répartir entre des listes pour lesquels les suffrages exprimés sont au total de dix millions, on ne prendra pas pour « prix » d'un siège le quotient entier de dix millions par 99, ni par 100 (diviseur de Hagenbach-Bischoff) mais par 101 (environ 99 010), ce qui laisse espérer qu'il en soit ainsi attribué encore davantage aux quotients.

Le diviseur de Droop. Sur le plan théorique, les deux diviseurs précédents laissent une impression de malaise. En effet, il y a un danger, même s'il est en pratique exclu (et d'ailleurs jamais observé dans les pays qui utilisent ces diviseurs artificiellement diminués) : que ferions-nous si toutes les divisions tombaient juste, en sorte que 100 sièges soient répartis au quotient, ou même 101 pour le diviseur d'Imperiali, alors qu'il n'y en a que 99 à pourvoir ?

Pour écarter cette éventualité, on peut augmenter très légèrement le diviseur de Hagenbach-Bischoff, en lui ajoutant 1 suffrage ou, s'il n'est pas entier, en l'arrondissant vers le haut. Ainsi, avec dix millions de suffrages et 99 sièges, le coût d'un siège sera 100 001, et il n'est dès lors plus possible que l'on trouve 100 fois ce nouveau diviseur électoral : on l'appelle du nom de son inventeur le diviseur de Droop. Si l'on veut absolument écarter le risque d'avoir à distribuer plus de sièges au quotient qu'il n'en existe à répartir, ce diviseur est le plus petit possible, et c'est par conséquent celui qui permet d'attribuer au quotient le plus de sièges possible. La différence est infime dans des élections populaires, elle peut devenir notable si l'élection est faite par un groupe restreint, un comité ou une société savante. Nous avions signalé son utilisation en Irlande à propos de la méthode de Hare. Naturellement, l'utilisation du diviseur de Droop permet de diminuer les sièges excédentaires, source de nos difficultés. Mais, sauf exception en pratique exclue où les scores de chaque liste seraient des multiples exacts du diviseur adopté, il ne les supprime pas entièrement.

La méthode de Jefferson

Thomas Jefferson, qui fréquenta Condorcet lors de son séjour à Paris vers la fin du XVIIIe siècle, avait été séduit par une idée simple. Il s'agissait de trouver un diviseur électoral suffisamment petit pour que tous les sièges (mais pas plus !) soient attribués au quotient. Plus de sièges restants, plus de querelles à leur sujet. Un exemple simple montre le fonctionnement de la méthode de Jefferson.

Nous avons 10 sièges à répartir entre 3 listes, Parti radical, Union centriste et Parti conservateur, ayant obtenu respectivement 348 000, 134 000 et 68 000 suffrages. Nous pouvons partir d'un diviseur très certainement trop grand, le vrai diviseur électoral, obtenu en divisant le nombre des suffrages exprimés

$$348\,000 + 134\,000 + 68\,000 = 550\,000$$

par 10 : c'est 55 000. La répartition donne alors :

Radical	6 sièges
Centriste	2 sièges
Conservateur	1 siège

Comme on pouvait s'y attendre, le diviseur choisi est trop grand puisqu'il ne permet d'attribuer que 9 sièges. Essayons un diviseur plus petit, par exemple le diviseur de Droop : il est obtenu en divisant le nombre des suffrages exprimés par 11 et en ajoutant 1, on trouve 50 001 suffrages. En utilisant ce nouveau diviseur et en arrondissant encore à l'entier inférieur, on trouve encore :

Radical	6 sièges
Centriste	2 sièges
Conservateur	1 siège

Aucun progrès n'a été fait, il reste toujours un siège dont on ne sait que faire. Essayons un autre diviseur, encore plus petit, comme 44 000. En divisant les scores respectifs 348 000, 134 000 et 68 000 par ce diviseur et en arrondissant toujours de même, on obtient :

Radical	7 sièges
Centriste	3 sièges
Conservateur	1 siège

Cette fois, nous sommes allés trop loin, puisque 11 sièges auraient été ainsi attribués alors qu'il n'en existe que 10 à répartir.

Essayons un autre diviseur, entre les deux, comme 48 000. En divisant les scores respectifs 348 000, 134 000 et 68 000 par ce diviseur et en arrondissant toujours de même, on obtient :

Radical	7 sièges
Centriste	2 sièges
Conservateur	1 siège

et nos 10 sièges sont répartis. Bien entendu, ce n'est pas le seul diviseur possible, par exemple 47 000 conviendrait tout aussi bien, comme on le vérifie sans peine. Lorsqu'on fait varier le diviseur essayé, toutes les attributions varient dans le même sens ; elles augmentent si l'on diminue le diviseur, elles diminuent si on l'augmente. Il s'ensuit que, si deux diviseurs donnent des répartitions convenables en sièges, c'est-à-dire que tous les sièges sont attribués, ces répartitions sont identiques : il est exclu qu'une des parts augmente et l'autre diminue lorsqu'on change de diviseur. Autrement dit, la méthode de Jefferson donne un résultat qui ne dépend pas du diviseur choisi, pourvu qu'il ait permis d'attribuer exactement tous les sièges à pourvoir.

On voit bien l'intérêt pratique de la méthode de Jefferson : le diviseur électoral étant choisi en sorte qu'il n'y ait plus de sièges à répartir après la première attribution, il n'y a plus à s'interroger sur la méthode de répartition des sièges restants.

Mais, en réalité, on a caché la difficulté, plutôt que l'on ne l'a résolue. En effet, il y a dans la règle un arrondi à l'entier inférieur : la liste qui aurait droit à 4,99 sièges et celle qui en aurait 4,01 vont toutes deux se retrouver avec 4 sièges. La proportionnalité ne trouve guère à se satisfaire de telles inégalités.

Ces restes inutilisés ont d'ailleurs déclenché des flots d'éloquence parlementaire aux États-Unis, dans un problème politiquement différent mais mathématiquement semblable, la répartition des sièges à pourvoir entre circonscriptions. Le 25 avril 1832, une proposition était en débat : pour constituer une chambre de 240 représentants, le cumul des restes inutilisés par la méthode de Jefferson équivalait à 10 sièges supplémentaires. Le sénateur Dickerson intervient : « Mon collègue de Virginie se sert de 10 représentants fractionnés, et semble les considérer comme des quantités négligeables... Ces quasi-représentants, ces représentants idéaux, ces représentants fantômes, après avoir été pris en compte pour donner aux États privilégiés leur part dans une chambre de 250 membres, sont renvoyés aux oubliettes. »

En fait, la méthode de Jefferson a simplement occulté la difficulté. D'ailleurs, pourquoi arrondir vers le bas ? N'aurait-on pas pu arrondir vers le haut ? Mais à nouveau, entre des listes ayant pour attributions 4,01 et 4,99, toutes 2 arrondies à 5, il y aura des jalousies ! Certains l'avaient pourtant envisagé.

La méthode d'Adams

En 1831, l'ancien président John Quincy Adams, alors représentant du Massachusetts, avança l'idée d'une modification de la méthode de Jefferson : il s'agissait de garder le même principe, mais d'arrondir vers le haut les différents quotients obtenus. Cela aurait permis de corriger le biais dont souffraient, avec la méthode de Jefferson, les États les moins peuplés (dont... le Massachusetts). Bien entendu, il revient au même d'accorder d'abord un siège à chaque État, puis d'appliquer la méthode de Jefferson.

Avec cette méthode, l'envolée lyrique du sénateur Dickerson n'aurait pas été possible, il n'y a pas de fractions de représentants qui disparaissent après le calcul : un État dont la représentation théorique aurait été de 8,32 sièges, loin de voir disparaître ce 0,32, cette fraction de représentant, aurait obtenu 9 sièges. On peut noter que la méthode n'est pas applicable pour le scrutin à la proportionnelle, puisqu'elle signifierait alors que toute liste, si faible que soit son score, a droit à 1 siège. Le nombre de listes s'élèverait rapidement au-delà du nombre de sièges à pourvoir, conduisant à une impossibilité mathématique.

En cas d'arrondi vers le haut, le bon diviseur aurait naturellement été différent. Reprenons notre exemple. Il s'agissait de 10 sièges à répartir entre nos 3 listes (Parti radical, Union centriste et Parti conservateur) ayant obtenu respectivement 348 000, 134 000 et 68 000 suffrages. Nous pouvons partir d'un diviseur arbitraire, par exemple encore le vrai diviseur électoral, 55 000. Les divisions donnent respectivement des contingents de 6,33 pour les Radicaux, 2,44 pour les Centristes et 1,24 pour les Conservateurs qu'on arrondit cette fois aux entiers supérieurs, pour obtenir :

Radical	7 sièges
Centriste	3 sièges
Conservateur	2 sièges

Comme on pouvait s'y attendre, le diviseur choisi est trop petit compte tenu de notre façon d'arrondir vers le haut, puisqu'il conduit à attribuer 12 sièges. Essayons un diviseur plus grand, par exemple 67 999 suffrages. En divisant par ce nouveau diviseur et en arrondissant encore à l'entier supérieur, on trouve :

Radical	6 sièges
Centriste	2 sièges
Conservateur	2 sièges

et les dix sièges ont bien été répartis.

Dans cet exemple, la répartition est différente de celle obtenue avec la méthode de Jefferson, qui donnait

Radical	7 sièges
Centriste	2 sièges
Conservateur	1 siège

mais cela n'a rien d'automatique et c'est là une difficulté fréquente en la matière. À s'en tenir à un exemple, on peut croire deux méthodes équivalentes au motif qu'elles donnent, avec les nombres en cause, la même répartition. Certains commentateurs, qui, comme disait Pascal, ont très bon esprit mais ne sont pas géomètres, s'y sont laissé prendre.

La méthode de Webster

Une fois la porte ouverte, on s'aperçoit qu'évidemment il n'y a pas que l'arrondi vers le bas ou vers le haut qu'on puisse pratiquer. On pourrait choisir l'entier le plus proche, arrondissant 12,49 à 12 et 12,51 à 13, fixant ainsi à 0,5 les limites d'arrondis. On pourrait décider d'une limite plus fantaisiste encore, comme 0,37, de sorte que 21,36 devrait être arrondi vers le bas, et 21,38 vers le haut.

Autrement dit, et sans même retenir les reproches au nom des fantômes du sénateur Dickerson, il n'y a pas une mais une infinité de méthodes du type Jefferson, et aucune raison arithmétique ne milite pour l'une d'entre elles en particulier.

En 1932, le sénateur Daniel Webster, qui présidait la commission sénatoriale pour la répartition des sièges, proposa d'arrondir à l'entier le plus proche ; naturellement, on aura à utiliser un diviseur distinct de celui de Jefferson ou d'Adams pour respecter le nombre total de sièges. Il semble qu'on améliore le caractère proportionnel de la répartition, l'écart maximal entre les sièges dus et les sièges attribués se réduisant à 0,50.

Observons cette méthode en action sur le même exemple de nos 10 sièges à répartir entre 3 listes (Parti radical, Union centriste et Parti conservateur) ayant obtenu respectivement 348 000, 134 000 et 68 000 suffrages. La méthode de Jefferson avait donné la répartition :

Radical	6 sièges
Centriste	2 sièges
Conservateur	2 sièges

La méthode d'Adams avait donné la répartition :

Radical	7 sièges
Centriste	2 sièges
Conservateur	1 siège

Pour appliquer la méthode de Webster, on peut essayer quelques diviseurs avant d'arriver à 53 540, qui donne pour quotients :

6,499 2,503 1,27

et les arrondis :

Radical	6 sièges
Centriste	3 sièges
Conservateur	1 siège

Nous tenons donc un exemple dans lequel Jefferson, Adams et Webster donnent des répartitions différentes.

Les méthodes de Dean et de Hill-Huntington

Même si, par certains aspects, la méthode de Webster peut sembler traiter équitablement petits et grands ayants droit, la barre d'arrondi fixée uniformément à 0,5 n'est peut-être pas la seule idée acceptable. Dans cette méthode, l'attribution bascule de n sièges à n +1 sièges dès que le quotient franchit la barre qu'on peut considérer comme la moyenne entre n et n +1

$$\frac{1}{2}(n + n + 1) = n + \frac{1}{2}$$

Il fallait la curiosité de professeurs de mathématiques pour se poser la question : pourquoi ce type de moyenne ? Ils enseignent depuis longtemps à leurs élèves qu'il en existe bien d'autres espèces, qui souvent répondent à des nécessités pratiques. Pour n'en citer que deux :

– la moyenne géométrique, racine carrée du produit des deux nombres (entre les nombres 2 et 8, la moyenne géométrique est la racine carrée du produit, 16, c'est-à-dire 4 ; elle est différente de la moyenne « ordinaire » dite aussi moyenne arithmétique, qui est 5) ;

– la moyenne harmonique, qui est l'inverse de la moyenne arithmétique des inverses des nombres donnés. Pour calculer la moyenne harmonique de 2 et 8, on calcule successivement :

– les inverses de ces nombres, 0,5 et 0,125,

– la moyenne de ces inverses, leur demi-somme 0,3125,

– l'inverse de ce résultat 3,2.

Elle est différente des deux autres moyennes présentées.

Et ce qui devait arriver arriva : James Dean, professeur de mathématiques à l'Université du Vermont proposa à la commission électorale du Congrès de fixer, entre n sièges et $n+1$, la barre à la moyenne harmonique de ces deux nombres. Elle est toujours placée plus bas que la barre de Webster, d'autant plus que n est petit. On doit à la vérité de dire que ce n'est pas la présentation que Dean avait choisie pour sa méthode, nous y reviendrons.

Quant à la moyenne géométrique, c'était la barre d'une méthode qui fut proposée par un autre professionnel de l'information chiffrée, David Hill, chef de division à l'Office fédéral de statistique. Le calcul montre qu'elle est toujours placée plus bas que la barre de Webster, mais plus haut que celle de Dean. On doit encore à la vérité de dire que ce n'est pas non plus la présentation choisie par Hill devant la commission parlementaire.

Nous voici donc en présence de cinq méthodes à diviseurs : Jefferson, Adams, Webster, Dean et Hill (dite aussi « Huntington-Hill »). Elles ont alimenté tellement de débats aux États-Unis qu'on les appelle les « cinq méthodes historiques à diviseur ». On peut dresser un tableau synthétique des seuils :

	Jefferson	Adams	Webster	Dean	Hill
seuil à partir duquel on attribue le $n+1^e$ siège	$n+1$	n	$n+\frac{1}{2}$	$\frac{n(n+1)}{n+\frac{1}{2}}$	$\sqrt{n(n+1)}$

Même s'il est assez simple de se persuader sur des exemples que ces méthodes prises deux à deux sont distinctes, on peut saluer la performance de deux auteurs, l'un français, l'autre américain, qui ont construit un exemple unique sur lequel les cinq méthodes historiques donnent des résultats distincts[1]. Il s'agit de 36 sièges à répartir proportionnellement aux nombres 27 744, 25 178, 19 951, 14 610 9 225 et 3 292. Le calcul ne présente pas d'autre difficulté que sa longueur.

La présentation d'Huntington

E. V. Huntington a eu l'idée d'une présentation ingénieuse, qui convient à toute méthode à diviseurs. L'idée est d'attribuer les sièges, non d'un seul coup à l'issue d'un calcul, mais un par un, en fonction d'une table de priorité qui indiquera l'ordre des attributions. Cette table indique simplement les limites d'arrondi selon la règle choisie. Par exemple, en conservant toujours le même exemple et la règle de Jefferson (arrondis vers le bas), on dresse le tableau dont les premières lignes sont :

	Radical 348 000	Centriste 134 000	Conservateur 68 000
1	348 000*	134 000*	68 000*
2	154 000*	67 000*	34 000
3	116 000*	44 667	22 667
4	77 000*	33 500	17 000
5	69 600*	26 800	13 600

6	58 000*	22 333	11 333
7	49 714*	19 143	9 714

Qu'indique le nombre 67 000 inscrit dans la case située sur la deuxième ligne de la deuxième colonne ? Si le diviseur adéquat pour répartir tous les sièges avait été 67 000, la liste centriste aurait gagné son deuxième siège. 67 000 a donc été obtenu en divisant par 2 le score de la liste. Autrement dit, le tableau est rempli en divisant successivement par 1, 2, 3, 4… les scores obtenus, placés, eux, en tête de colonne. Bien entendu, toute liste qui aurait dans cette ligne ou dans une autre un nombre plus grand aurait aussi gagné un siège.

Pourquoi n'a-t-il pas été nécessaire de pousser plus loin le calcul ? Tout simplement parce que la septième ligne indique que, si le diviseur avait été 49 714, la liste radicale aurait remporté un siège, et toutes les cases contenant un nombre supérieur aussi. Or, avec dix cases (marquées*), tous les sièges sont attribués, et nous avons obtenu, sans tâtonnement, un diviseur adéquat. Il n'est pas utile de remplir une nouvelle ligne. Bien entendu, on ne fera aucun calcul avec ce diviseur : les dix cases correspondant aux nombres égaux ou supérieurs à 49 714 représentent chacune un siège.

Quelle aurait été la table de priorité pour la méthode de Webster ? Dans cette méthode, la barre d'arrondi est à 0,5.

		Radical 348 000	Centriste 134 000	Conservateur 68 000
1	diviseur	348 000*	134 000*	68 000*
2	1,5	232 000*	89 333*	45 333
3	2,5	136 200*	53 600*	13 600
4	3,5	99 429*	38 286	19 429
5	4,5	77 333*	29 778	15 111
6	5,5	63 273*	24 364	12 364
7	6,5	53 538	20 615	10 462

Qu'indique le nombre 53 600 inscrit dans la case située sur la troisième ligne de la deuxième colonne ? Si le diviseur avait été 53 600, la liste centriste aurait eu droit à 1,500 006 siège, arrondi selon la règle de Webster à 2. Autre expression du même calcul, on a divisé par 1,5, qui est la barre entre 1 et 2 selon Webster, le score de la liste centriste. C'est le sens de ce 1,5 écrit en petits caractères. Comme précédemment, les dix cases portant les plus grands nombres correspondent aux dix sièges à attribuer.

On procéderait de même pour les autres méthodes, la colonne des diviseurs (en petits caractères) étant calculée une fois pour toutes pour chaque méthode.

Jefferson	1	2	3	4	5	6	7	8
Webster	1,5	2,5	3,5	4,5	5,5	6,5	7,5	8,5
Dean	1,333	2,4	3,429	4,444	5,545	6,461	7,467	8,471
Hill	1,414	2,449	3,464	4,472	5,477	6,481	7,483	8,485
Adams	2	3	4	5	6	7	8	9

Pour les méthodes de Jefferson et Adams, les diviseurs sont des nombres entiers. Pour la méthode de Webster, on préfère doubler les diviseurs de cette ligne pour avoir des nombres entiers ; cela ne change pas les cases qui serviront pour indiquer les priorités :

Webster	3	5	7	9	11	13	15	17

La méthode d'Hondt

En 1899, le ministre belge de la Justice, Van den Heuven dépose un projet de loi pour établir une répartition proportionnelle. Inspiré par un professeur de mathématiques, Victor d'Hondt[2], la méthode proposée dans ce texte présentait toutes les apparences d'une formule magique pour quiconque ignorerait le travail de Huntington.

Elle suppose la construction d'un tableau dont les colonnes correspondent aux différentes listes, et dont les lignes successives représentent les nombres de suffrages divisés par 1 pour la première ligne, par 2 pour la deuxième, par 3 pour la troisième et ainsi de suite. C'est très exactement, mais d'Hondt ne le savait sans doute pas, le tableau proposé par Huntington pour appliquer la méthode de Jefferson.

	Liste A 1 340 000 voix	Liste B 400 000 voix	Liste C 360 000 voix
divisé par 1	1 340 000	400 000	360 000
divisé par 2	670 000	200 000	180 000
divisé par 3	446 666	133 333	120 000
divisé par 4	335 000	100 000	~~90 000~~
divisé par 5	268 000	~~80 000~~	~~72 000~~
divisé par 6	223 333	~~66 667~~	~~60 000~~
divisé par 7	191 429	~~57 143~~	~~51423~~
divisé par 8	167 500	~~50 000~~	~~45 000~~
divisé par 9	148 889	~~44 444~~	~~40 000~~
divisé par 10	134 000	~~40 000~~	~~36 000~~
divisé par 11	121 182	~~36 364~~	~~32 727~~
divisé par 12	111 667	~~33 333~~	~~30 000~~
divisé par 13	103 077	~~30 770~~	~~27 692~~
divisé par 14	95 714	~~28 571~~	~~25 714~~
divisé par 15	~~89 333~~	~~26 557~~	~~24 000~~

Supposons qu'il y ait 21 sièges à répartir entre ces listes. On doit alors observer dans ce tableau les 21 quotients les plus élevés en barrant les autres. Le plus petit, en l'occurrence 95 714, est un diviseur adéquat pour les calculs selon la méthode de Jefferson.

Le nombre de sièges attribués à la liste A se calcule en divisant 1 340 000 par 95 314 : on obtient évidemment 14 puisque 95 314 a été obtenu en divisant 1 340 000 par 14 !

À la liste B, il est attribué autant de sièges que sa population 400 000 contient de fois 95 314, soit 4. On peut remarquer que c'est exactement le nombre de cases non barrées dans cette colonne.

À la liste C, il est attribué autant de sièges que sa population contient de fois 95 314, soit 3. C'est bien naturellement encore le nombre de cases non barrées.

En fait, quand on suit pas à pas la recette proposée par d'Hondt, on s'aperçoit que c'est simplement une façon de trouver un diviseur convenable avant d'appliquer les calculs à la Jefferson. La méthode d'Hondt n'est donc qu'un avatar de la méthode initiale de Jefferson, et toutes les réticences que nous avions pour l'une doivent s'appliquer à l'autre.

Pourtant, sous le nom de d'Hondt, la méthode est très largement appliquée ; qu'on en juge : pour les seules élections européennes de 1999, la méthode d'Hondt fut utilisée en Autriche, en Belgique, au Danemark, en Espagne, en Finlande, en France, aux Pays-Bas, au Portugal et au Royaume Uni, soit neuf pays sur quinze. Compte tenu de ses défauts, on se perd en conjectures : le lobby belge serait-il si efficace ?

La plus forte moyenne

Le lecteur informé aura peut-être eu un moment de surprise en voyant la France figurer dans cette liste de pays. Ne croit-il pas savoir qu'on utilise dans notre pays le système dit *de la plus forte moyenne* ? L'expression est d'ailleurs employée sous cette forme dans la loi de 2003 réformant les modes de scrutin régional et européen.

Le code électoral définit ainsi la méthode.

Pour déterminer le nombre de sièges à attribuer à chaque liste, on divise le nombre total des suffrages par le nombre de sièges à répartir. Chacune des listes a droit à autant de sièges de députés que le nombre de ses suffrages contient de fois le quotient de cette division. Si, après cette première répartition, il reste un siège disponible, on supposera successivement que ce siège est attribué à chacune des listes en lice, et l'attribution sera faite à celle des listes qui, après cette application, donnerait la plus forte moyenne de suffrages pour chacun des sièges attribués. On procédera de même, successivement, pour chacun des autres sièges disponibles, s'il y en a plusieurs.

Il s'agit bien évidemment de la même méthode, la plus forte moyenne calculée servant en fait de diviseur pour l'application des calculs à la Jefferson.

Appliquons cette procédure à l'exemple précédent. Le nombre total de suffrages exprimés est :

1 340 000 + 400 000 + 360 000 = 2 100 000 suffrages

pour 21 sièges et conduit au diviseur électoral, 100 000. La première répartition, qui est naturellement la même que celle que nous avions faite en suivant la méthode des plus forts restes (Hamilton) soit :

A 13 sièges B 4 sièges C 3 sièges

Il reste un siège à attribuer ; attribuons-le fictivement et successivement à chacune des listes et calculons la moyenne du nombre de suffrages par siège qui en résulterait :

* pour A, 1 340 000 suffrages pour 14 sièges, soit en moyenne 95 714 suffrages par siège ;

* pour B, 400 000 suffrages pour 5 sièges, soit en moyenne 80 000 suffrages par siège ;
* pour C, 360 000 suffrages pour 4 sièges, soit en moyenne 90 000 suffrages par siège.

La plus forte moyenne est réalisée par l'attribution à la liste A et c'est donc cette attribution qui sera réalisée. Les moyennes réelles de voix représentées par siège seront donc :

* pour A, 1 340 000 suffrages pour 14 sièges, soit en moyenne 95 714 suffrages par siège ;
* pour B, 400 000 suffrages pour 4 sièges, soit en moyenne 100 000 suffrages par siège ;
* pour C, 360 000 suffrages pour 3 sièges, soit en moyenne 120 000 suffrages par siège.

On retrouve sans surprise les derniers nombres non barrés de chaque colonne du tableau d'Hondt. La méthode est identique. Cela a une conséquence souvent ignorée. Le critère de la plus forte moyenne est en fait un moyen de tester un projet de répartition : si, en enlevant un siège à une liste et en l'attribuant à une autre, on obtient une plus forte moyenne de voix par siège, il faut faire ce transfert. Nul besoin de savoir d'où provient ce projet de répartition. Puisque la méthode de la plus forte moyenne est identique à la méthode de Jefferson, les résultats de la première attribution (au quotient) sont sans influence sur la répartition définitive : selon son humeur, on peut utiliser pour cette première répartition le diviseur « vrai », celui de Hagenbach-Bischoff, de Droop ou tout autre qu'on voudrait. Cela donne une force comique rarement relevée à la loi électorale autrichienne (parmi d'autres), qui indique que la première répartition doit être faite en utilisant le diviseur de Hagenbach-Bischoff, et que les sièges restants sont attribués selon la méthode d'Hondt.

Les vertus des méthodes à diviseurs

D'un point de vue logique, elles ne présentent aucun des paradoxes qui ont été observés à propos de la méthode des plus forts restes ; si nous prenons nos exemples à propos de répartition entre circonscriptions, nulle section du territoire dont la population augmente ne peut voir sa représentation diminuer (paradoxe démographique), le paradoxe de l'Alabama ne peut pas se produire, pas plus que celui du nouvel État. En effet, pour toute méthode à diviseurs, tous les sièges sont répartis au quotient ; si le quotient augmente, les attributions ne peuvent pas augmenter, s'il diminue, elles ne peuvent pas diminuer. Ainsi, aucun accroissement du nombre des voix obtenues (ou aucun accroissement du nombre de sièges à attribuer) ne peut se traduire par la diminution de l'attribution d'une quelconque liste.

Mais les méthodes à diviseurs souffrent d'un défaut que certains tiennent pour inacceptable : elles ne sont pas contingentées, autrement dit, la différence entre le contingent d'une liste et le nombre de sièges qui lui est attribué peut dépasser l'unité. C'était le cas en 1832, pour la répartition des sièges entre États, où la méthode de Jefferson donnait 40 sièges à l'État de New York, pour un contingent de 38,59. Elle a un autre défaut : comme elle arrondit à 1 une « juste part » de 1,95 et à 38 une juste part de 38,95, en valeur relative, le petit est plus mal servi que le grand ; quiconque observe les pertes relatives trouvera plus pénalisant de perdre 0,95 quand on a 1,95 que lorsqu'on a 38,95. Les autres méthodes d'arrondi souffrent de distorsions comparables. On peut traduire cela de manière plus parlante : un représentant d'un petit État a des chances de représenter davantage d'électeurs que celui d'un grand. On voit le sentiment d'injustice des électeurs et des élus d'un petit État.

Faut-il alors se mettre à la recherche d'une autre méthode, qui serait parée de toutes les vertus ? Un théorème d'impossibilité va freiner les ardeurs.

L'impossible contingent

De tout ce qui précède, on serait porté à retenir deux vertus à demander à tout système de répartition proportionnelle. On le voudrait contingenté, pour ne pas avoir à expliquer aux représentants d'une liste que leur juste part est de 34,43 mais que la méthode retenue ne leur accorde que 32 sièges. À la rigueur, 34, ils comprendraient, mais pas 32. D'autre part, on le voudrait monotone, en sorte que l'augmentation du nombre de sièges à répartir, ou l'augmentation de la population d'une liste ne se traduise jamais par une diminution de son attribution.

Un simple exemple suffit à montrer que ces exigences sont incompatibles. Posons qu'il y a cent sièges à répartir.

Cas n° 1. Les répartir entre 6 listes avec pour contingents respectifs :

90,35 3,29 1,67 1,63 1,51 1,55

(dont la somme est bien égale à 100).

Une méthode contingentée accordera au moins 90 sièges à la première liste et 3 à la deuxième, et comme il en reste au plus 7 pour 4 listes, celle qui a le moins de voix en recevra au plus 1.

Cas n° 2. Les répartir entre 11 listes avec pour contingents respectifs :
87,50 1,45 1,35 1,34 1,13 1,12 1,16 1,30 1,24 1,18 1,13
(dont la somme est bien aussi égale à 100).

Une méthode contingentée accordera au plus 88 sièges à la première liste, et comme il en reste au moins 12 pour 10 listes, celle qui a le plus de voix en recevra au moins 2.

Ainsi, toute méthode contingentée, appliquée à nos exemples, conduirait à attribuer 2 sièges pour un contingent de 1,45 et un seul pour un contingent de 1,51 !

En revanche, on peut démontrer que, si une méthode ne présente pas le paradoxe démographique, elle ne donne jamais une répartition qui violerait le contingent vers le haut pour une liste et vers le bas pour une autre.

La conclusion est amère : il faut choisir, ou bien s'éloigner du contingent, ou accepter le paradoxe démographique. Cela n'interdit pas de rechercher d'autres méthodes qui, sur d'autres points, offriraient un progrès sur les méthodes précédentes.

La méthode de Sainte-Lagüe

Que proposait Sainte-Lagüe ? Il s'agissait de dresser un tableau, comme pour la méthode d'Hondt, mais, pour obtenir les lignes successives, on ne divise plus par les entiers successifs :

1 2 3 4...

mais par les nombres impairs successifs :

1 3 5 7...

Voyons le fonctionnement de la méthode sur l'exemple qui nous a déjà servi plusieurs fois. Instruits par l'expérience, nous ne poursuivons pas une colonne plus bas que le premier nombre barré.

	Liste A 1 340 000 voix	Liste B 400 000 voix	Liste C 360 000 voix
divisé par 1	1 340 000	400 000	360 000
divisé par 3	446 666	133 333	120 000
divisé par 5	268 000	80 000	72 000
divisé par 7	191 429	57 143	51 423
divisé par 9	148 889	~~44 444~~	~~40 000~~
divisé par 11	121 182		
divisé par 13	103 077		
divisé par 15	89 333		
divisé par 17	70 824		
divisé par 19	70 527		
divisé par 21	60 810		
divisé par 23	58 261		
divisé par 25	53 600		
divisé par 27	~~49 630~~		

Il ne reste qu'à compter les cases non barrées : elles indiquent que, à la liste A, il est attribué 13 sièges et aux listes B et C, il est attribué 4 sièges. On voit la différence entre les deux tableaux : par la méthode Sainte-Lagüe, on doit pousser les divisions plus longtemps, ce qui rend pour une liste non dotée ou peu dotée (une petite liste) le premier siège moins « coûteux » (ici, 51 423 contre plus de 95 000 avec la méthode d'Hondt).

L'avantage relatif des grandes listes se trouve donc réduit : la liste A n'obtient que 13 sièges alors qu'elle en recevait 14 avec la méthode d'Hondt. C'est surtout important dans un problème de répartition territoriale. Mais, de toute façon, les petites circonscriptions (les petits États dans un pays fédéral...) peuvent être traitées de façon spécifique, quelle que soit la méthode de partage. Pour les élections parlementaires françaises par exemple, chaque département a droit à au moins deux députés et un sénateur, si peu peuplé soit-il. À la Chambre des représentants, chaque État américain a droit à au moins un siège.

Grâce à la technique de construction du tableau, chacun aura reconnu la méthode de Webster, mais l'identité des deux méthodes a été longtemps méconnue. La méthode de Sainte-Lagüe est utilisée pour les élections législatives dans quelques pays, Danemark, Suède, Lettonie... L'avantage donné aux petites listes est parfois atténué pour éviter une dispersion excessive des sièges ; ce résultat peut être atteint soit par l'institution d'un seuil pour participer à la répartition, soit en modifiant artificiellement le premier nombre servant aux divisions. Au lieu de diviser par :

1 3 5 7 9...

on divise par exemple par :

1,4 5 3 7 9…

La méthode n'est alors plus identique à celle de Webster.

Les synonymies des méthodes usuelles

Nom américain	Autres noms	Technique de répartition
Hamilton	Vinton Plus forts restes	Attribution en deux étapes : a) aux quotients b) sièges restants aux plus forts restes
Jefferson	d'Hondt Plus forte moyenne	Attribution siège par siège par le tableau d'Hondt ou Méthode à diviseur (arrondis à l'entier inférieur) ou Attribution en deux étapes : a) aux quotients b) sièges restants à la plus forte moyenne
Webster	Sainte-Lagüe	Attribution siège par siège par le tableau de Sainte-Laguë ou Méthode à diviseur (arrondis à l'entier le plus proche)
Hill	Huntington	Méthode à diviseur (seuil d'arrondi à la moyenne géométrique)
Dean		Méthode à diviseur (seuil d'arrondi à la moyenne harmonique)
Adams		Méthode à diviseur (arrondis à l'entier supérieur)

CHAPITRE 8

L'équité proportionnelle

La diversité des méthodes de représentation proportionnelle, comme des arguments de leurs promoteurs, conduit à poser plus globalement la question de l'équité des systèmes de représentation proportionnelle. La question ne se pose guère en cas de scrutin majoritaire : le hasard de la répartition géographique des électeurs, s'il n'est pas contrarié par un découpage inéquitable ou empreint de *gerrymandering*, est insensible aux considérations d'équité.

Le principe itératif

Il est fréquent, surtout lorsqu'on dispose d'une machine capable de répéter une opération simple un grand nombre de fois, qu'on utilise une méthode itérative pour mener à bien la recherche d'une solution numérique approchée.

Un exercice classique bien connu des candidats au baccalauréat fait étudier des approximations successives de la racine carrée d'un nombre positif quelconque a. On part d'une valeur approchée u arbitrairement choisie (après tout, n'importe quel nombre est une valeur approchée, il suffit de ne pas évoquer la qualité de l'approximation), et on l'améliore en calculant la moyenne entre u et le quotient $\frac{a}{u}$. Il est en effet facile de voir que, si u est inférieur à $\sqrt{a}$, alors $\frac{a}{u}$ lui est supérieur (et vice-versa), si bien que la moyenne entre ces deux nombres est une approximation meilleure que ne l'était u :p

$$v = \frac{1}{p} \frac{a}{u} \quad (u + \frac{a}{u})$$

Il suffit de recommencer pour avoir des approximations de plus en plus proches. Ce qui est remarquable, c'est que le procédé fonctionne quel que soit le nombre positif u qui a servi à amorcer les calculs. Certes, la convergence sera plus rapide et les étapes moins nombreuses si on part d'un nombre u pas trop éloigné, mais c'est tout.

Nous avons déjà tenté (voir page 143) d'utiliser une technique analogue en matière de répartition proportionnelle. Nous sommes partis d'une répartition imparfaite, peu importe comment elle avait été calculée, devinée ou inspirée. Puis nous avions tenté d'en améliorer le caractère proportionnel en corrigeant telle ou telle attribution. De façon précise, en prenant un siège à la liste A pour la donner à la liste B, améliore-t-on la proportionnalité ?

Nous avons déjà eu une cruelle mésaventure. Pour 16 sièges à répartir entre trois listes ayant obtenu respectivement :
5 000 suffrages   7 000 suffrages   3 200 suffrages,
nous avons prouvé que, d'une certaine manière,

– la répartition 5, 7, 4 est meilleure que la répartition 5, 8, 3 ;

– la répartition 5, 8, 3 est meilleure que la répartition 6, 7, 3 ;

– la répartition 6, 7, 3 est meilleure que la répartition 5, 7, 4.

Il est donc vain d'espérer s'approcher de mieux en mieux de la perfection proportionnelle par ce procédé, puisque, en trois corrections, nous sommes ramenés à la répartition initiale, elle-même arbitraire.

Qu'est-ce qu'une amélioration ?

La première remarque à faire porte sur la définition d'une « meilleure répartition ». Il n'y a pas de discussion sur la perfection proportionnelle. Si les listes en présence ont des contingents :

$$q_1 \quad q_2 \quad q_3 \quad q_n$$

et que quelqu'un propose de leur attribuer respectivement :

$$a_1 \quad a_2 \quad a_3 \quad a_n$$

sièges (les nombres a_i sont des entiers dont la somme est fixée, égale à l'effectif de l'assemblée à élire), la perfection proportionnelle se traduit par des égalités du type :

$$q_i / q_j = a_i / a_j$$

pour tous les couples de listes ainsi comparées deux à deux. Chacune exprime que le rapport entre les contingents est le même que le rapport entre les attributions. Pour caractériser la qualité d'une proportionnalité approchée, nous avons examiné les différences :

$$q_i / q_j - a_i / a_j$$

ou, en toute rigueur leurs valeurs absolues :

$$| q_i / q_j - a_i / a_j |$$

La difficulté, ou la richesse, de l'idée d'égalité approchée de fractions est que plusieurs expressions d'égalité sont parfaitement équivalentes :

$$q_i / q_j = a_i / a_j \qquad q_j / q_i = a_j / a_i$$

$$q_i / a_i = q_j / a_j \qquad a_i / q_i = a_j / q_j$$

$$a_i = a_j \, q_i / q_j \qquad \frac{a_i / q_i}{a_j / q_j} = 1$$

En revanche, il n'est pas équivalent d'exprimer que la différence entre les deux membres est « petite ». C'est ainsi qu'on a pu démontrer que si les améliorations successives pour le critère $| q_i / q_j - a_i / a_j |$ de notre exemple introductif « tournent en rond », il n'en est pas systématiquement de même pour d'autres.

La détermination d'un optimum

Le principe est constant : on part d'une répartition arbitraire des sièges. Comme pour $\sqrt{a}$, les calculs seront plus courts si on part d'une répartition à peu près proportionnelle, mais cela n'a guère d'importance. On choisit un « critère d'écart à l'équité », par exemple dans la liste précédente :

$\lvert q_i / q_j - a_i / a_j \rvert$	ou	$\lvert q_j / q_i - a_j / a_i \rvert$	ou
$\lvert q_i / a_i - q_j / a_j \rvert$	ou	$\lvert a_i / q_i - a_j / q_j \rvert$	ou
$\lvert a_i - a_j q_i / q_j \rvert$	ou	$\left\lvert \dfrac{a_i / q_i}{a_j / q_j} - 1 \right\rvert$	

Les étapes suivantes constituent une « boucle » qu'on répétera autant de fois qu'il le faudra :

1) rechercher, parmi tous les couples de circonscriptions (ou de listes...) celui dont l'écart à l'équité est le plus grand ;

2) au sein de ce couple, transférer un siège de la circonscription surdotée à l'autre ;

3) revenir à l'étape 1).

Nous avons vu que, pour un critère au moins, le processus peut tourner en rond indéfiniment. Pour d'autres, il peut aboutir à une répartition telle qu'aucun transfert ne puisse l'améliorer. Le plus extraordinaire, c'est que plusieurs de ces répartitions optimales nous sont déjà familières. C'est ainsi que Huntington a démontré que :

– La répartition obtenue par la méthode d'Adams (méthode à diviseur avec arrondis à l'entier supérieur) est telle qu'aucun transfert entre deux circonscriptions ne puisse améliorer l'écart à l'équité mesuré par

$$\lvert a_i - a_j q_i / q_j \rvert$$

– La répartition obtenue par la méthode de Dean (méthode à diviseur avec seuil d'arrondi à la moyenne harmonique) est telle qu'aucun transfert entre deux circonscriptions ne puisse améliorer l'écart à l'équité mesuré par

$$| q_i / a_i - q_j / a_j |$$

– La répartition obtenue par la méthode de Hill-Huntington (méthode à diviseur avec seuil d'arrondi à la moyenne géométrique) est telle qu'aucun transfert entre deux circonscriptions ne puisse améliorer l'écart à l'équité mesuré par

$$\left| \frac{a_i / q_i}{a_j / q_j} - 1 \right|$$

– La répartition obtenue par la méthode de Webster (méthode à diviseur avec arrondis à l'entier le plus proche) est telle qu'aucun transfert entre deux circonscriptions ne puisse améliorer l'écart à l'équité mesuré par

$$| a_i / q_i - a_j / q_j |$$

– La répartition obtenue par la méthode de Jefferson (méthode à diviseur avec arrondis à l'entier inférieur) est telle qu'aucun transfert entre deux circonscriptions ne puisse améliorer l'écart à l'équité mesuré par

$$| a_i - a_j \, q_i / q_j |$$

On dispose ainsi d'une présentation plus intuitive, notamment pour les méthodes de Dean et de Hill-Huntington : pour ces deux méthodes, il faut bien reconnaître que la présentation des limites d'arrondi (respectivement moyenne harmonique et moyenne géométrique entre n et $n + 1$) est bien trop artificielle pour être jamais votée par un législateur.

L'équité globale

Il peut sembler fastidieux de concentrer l'attention sur les circonscriptions prises ainsi deux à deux. Ne serait-ce qu'avec 10 circonscriptions, cela fait 45 couples à examiner pour la première boucle. Ne peut-on adopter un point de vue plus global ?

Reprenons l'énoncé du problème. Pour chaque circonscription, il y a un contingent, sa juste part, qui n'est malheureusement pas un entier, un nombre de sièges attribués (qui, lui, est un entier), et un écart entre les deux. Ainsi, selon les méthodes, une circonscription ayant un contingent de 7,63 pourra avoir une attribution de 7 sièges, ou de 8 (pour des méthodes contingentées), mais, pour d'autres méthodes, une attribution de 6 ou de 9 sièges. Dans chaque cas, il y a un écart, respectivement 0,63 ou 0,37, ou encore 1,63 ou 1,37.

L'ambition est donc que « ces écarts soient les plus petits possibles », mais cette phrase n'a pas de sens en mathématiques : voudra-t-on que le plus grand écart soit petit ? Acceptera-t-on qu'il soit un peu plus grand si, en compensation, de nombreux autres sont très petits ? C'est un problème que connaissent bien les statisticiens quand il s'agit de faire passer une droite « au plus près » d'un nuage de points.

Ce n'est plus maintenant qu'une affaire d'imagination, mais, ce qui est à la fois surprenant et heureux, c'est que, avec quelques critères relativement naturels, on retrouve des méthodes connues. Il est en effet possible de démontrer, au prix de quelques calculs, que :

– si on choisit de minimiser le plus grand des écarts

$$| a_i - q_i |,$$

la méthode de Hamilton fournit la solution ;

– si on choisit de minimiser la somme des carrés des écarts

$$\Sigma | a_i - q_i |^2$$

c'est encore la méthode de Hamilton qui fournit la solution ;

– si on choisit de minimiser la plus grande surreprésentation (rapport a_i / q_i entre le nombre de sièges attribués et le contingent), la méthode de Jefferson fournit la solution ;

– si on choisit de minimiser la somme des carrés des écarts, chaque carré étant divisé par le nombre de sièges associé (autrement dit, on attache d'autant moins d'importance à un écart donné qu'il concerne une grande circonscription),

$$\Sigma | a_i - q_i |^2 / a_i$$

la méthode de Hill-Huntington fournit la solution ;

– si on choisit de minimiser la somme des carrés des écarts, chaque carré étant divisé par le contingent associé (autrement dit, on attache encore d'autant moins d'importance à un écart qu'il concerne une grande circonscription, mais ce qualificatif est mesuré par le contingent),

$$\Sigma | a_i - q_i |^2 q_i$$

la méthode de Webster fournit la solution.

On pourrait ainsi multiplier les exemples. Le point à retenir, c'est que chaque méthode « historique » peut être défendue au nom d'une conception de l'équité, et que, après deux siècles de débats, il n'en est aucune qui s'impose. Et les débats ont encore été obscurcis par le fait, remarqué ici à plusieurs reprises, que, pour une même méthode, plusieurs présentations parfaitement étrangères peuvent être avancées. Et il n'est pas toujours immédiat de reconnaître l'identité de deux méthodes, puisqu'il ne suffit évidemment pas de montrer sur quelques exemples qu'elles donnent le même résultat.

Les systèmes mixtes

Le passage en revue des particularités des divers systèmes laisse apparaître le caractère chimérique de la recherche du système parfait, celui qui cumulerait les qualités arithmétiques et politiques des systèmes majoritaires, qui cumulerait les vertus d'équité des plus forts restes et des méthodes à diviseurs..., celui qui offrirait, si l'on osait cette familiarité, le beurre avec l'argent du beurre.

Bien des suggestions ont été faites, généralement fondées sur la remarque que la proportionnalité est d'autant moins possible à respecter parfaitement que le nombre de sièges dans une circonscription est petit. Si on refuse la circonscription nationale unique selon le type israélien, on peut néanmoins imaginer une compensation nationale : les écarts à la stricte proportionnalité constatés au niveau de chaque circonscription sont cumulés au niveau national, et des sièges supplémentaires de compensation sont accordés si nécessaire. Le défaut du système est de créer deux sortes d'élus, élus locaux et élus nationaux, dont les légitimités pourraient apparaître comme inégales. On pourrait d'ailleurs appliquer ce système à des circonscriptions à un seul siège.

C'est ainsi que le système qui fut imaginé en Allemagne juste après la Seconde Guerre mondiale poursuit un double objectif : concilier la proximité entre électeurs et élu qu'offre le scrutin uninominal et la proportionnalité la plus précise. À cet effet, la moitié des sièges est attribuée à des circonscriptions uninominales, et ils sont pourvus au scrutin majoritaire. L'autre moitié sera formée d'élus sur listes nationales à la proportionnelle, ou plus précisément en sorte que le résultat global par partis (élus de circonscriptions et élus nationaux) soit proportionnel.

L'idée a séduit un certain nombre de pays : la Bolivie, le Venezuela, la Nouvelle-Zélande, la Hongrie, ainsi que les parlements locaux d'Écosse et du pays de Galles. Une idée plus simple, mais dont le résultat est moins exactement proportionnel, consiste à séparer deux votes, une partie des représentants élus étant désignés au scrutin majoritaire, l'autre au scrutin proportionnel. C'est le système utilisé au Japon ainsi que pour la Douma russe, dont 225 membres sont élus au scrutin uninominal majoritaire, et 225 au scrutin proportionnel en une seule circonscription nationale.

Le contrôle du scrutin

La finesse de la balance avec laquelle nous avons tenté de mesurer l'équité d'un système de vote serait un peu ridicule si des manœuvres plus ou moins légales permettaient à certains candidats de détourner le résultat en leur faveur. D'où l'importance d'un mécanisme de contrôle dont le fonctionnement, de surcroît, donne une plus forte légitimité aux élus.

On peut distinguer trois niveaux de contrôle, selon les pays et les époques. Le contrôle peut s'exercer en amont de la loi électorale, par exemple dans des dispositions constitutionnelles ou internationales qui s'imposent, en fait ou en droit, aux autorités nationales. Il peut s'exercer au niveau national, par des actions des pouvoirs législatif, exécutif ou judiciaire. Il peut s'exercer enfin au niveau de chaque lieu de vote, pour y vérifier qu'un certain nombre de règles concernant le déroulement du vote et le décompte des suffrages y sont scrupuleusement vérifiées.

Les dispositions supralégales

Dans de nombreux pays, dont la France, l'Allemagne, la Roumanie, l'Espagne..., la Constitution contient des prescriptions relatives aux élections. Certes, une Constitution n'a pas à se transformer en code électoral, et c'est pourquoi, le plus souvent, seuls de grands principes y sont énoncés. Nous avons évoqué l'article 3 de la Constitution française qui indique que le suffrage est universel, égal et secret. On sait que le mode de scrutin n'est pas mentionné dans ce texte, même si la commission de 1958 en avait fait la proposition au général De Gaulle.

On voit aussi se développer une doctrine internationale, dont certains éléments sont inclus dans des traités.

Par exemple, l'article 25 du Pacte international relatif aux droits civils et politiques prévoit explicitement quelques principes fondamentaux : suffrage universel, libre, égal, secret et direct. Un autre exemple en est, au niveau européen, l'article 3 du protocole additionnel à la Convention européenne des droits de l'homme qui indique : « Les hautes parties contractantes s'engagent à organiser, à des intervalles raisonnables, des élections libres au scrutin secret, dans des conditions qui assurent la libre expression de l'opinion publique sur le choix du corps législatif. » Pour donner un contenu concret à ces dispositions, on dispose de la jurisprudence de la Cour européenne et d'un important travail accompli au nom du Conseil de l'Europe par la Commission de Venise, de son vrai nom la Commission européenne pour la démocratie par le droit. La Commission a préparé un *Code de bonne conduite en matière électorale*, qui a vocation à devenir obligatoire dans tous les pays membres.

Le suffrage universel et égal

Les limitations qu'ont connues les siècles passés sont bien évidemment exclues : suffrage censitaire ou masculin. Ne subsistent que les conditions d'âge minimal et de nationalité. Et encore, pour cette dernière, les élections locales et européennes sont ouvertes aux résidents citoyens d'un autre pays de l'Union. La Commission de Venise voit avec méfiance les conditions de durée de résidence si elles dépassent quelques mois. Enfin, des clauses d'exclusion des droits politiques à la suite de certaines condamnations pénales ne sont pas formellement prohibées par ce code de bonne conduite.

L'égalité devant le scrutin se décline à plusieurs niveaux : c'est d'abord le principe « un homme une voix », qui interdit le vote multiple. Il n'est pas exclu que le vote par procuration en France, surtout tel qu'il a été libéralisé depuis 2002, ne soit un jour critiqué par la Commission de Venise. C'est aussi, de façon beaucoup plus délicate, l'égalité de la force électorale, du pouvoir de chaque électeur sur le résultat. Ce sont toutes les questions de délimitation des circonscriptions que nous avons examinées au chapitre 6.

Le suffrage libre

Le Code de bonne conduite en matière électorale contient de nombreuses dispositions propres à garantir la liberté de l'électeur : principe de liberté des candidatures, interdiction des pressions, menaces ou promesses, bureaux de vote comportant des représentants de chaque concurrent, et surtout garantie du secret du vote. Ces exigences rendent la Commission tout aussi réticente au vote par correspondance qu'elle l'est au vote par procuration.

C'est le même principe qui a inspiré la réponse du ministre de l'Intérieur à une question écrite [1] du député Jean-Christophe Lagarde, qui vantait l'utilisation d'Internet pour le vote. Le ministre déclare son intérêt pour les machines à voter, sous réserve de garanties techniques précises, qui suppriment les fastidieuses opérations de dépouillement ; mais il indique clairement que le vote par Internet n'est pas envisageable pour des élections politiques. En effet, il se heurte aux mêmes objections que le vote par correspondance, rien ne pouvant garantir que celui qui vote soit à l'abri de toute pression au moment du vote, ni même qu'il soit le véritable titulaire du droit de vote. La question a même été posée, notamment en Italie, de savoir s'il ne fallait pas interdire dans les isoloirs les téléphones portables munis d'un système de transmission d'image, pour empêcher un électeur non libre d'apporter la preuve de sa soumission à l'ordre reçu ou au marché conclu.

Le suffrage secret

Le secret du vote est donc un aspect essentiel de la liberté de l'électeur : pour qu'il soit efficace, il doit être, non seulement un droit, mais une obligation pour chaque votant. Il faut que l'électeur soit empêché, même s'il le souhaite, de prouver le contenu de son vote. L'article 16 de la constitution révolutionnaire du 24 juin 1793 prévoyait que l'électeur pouvait, à son choix, voter à haute voix ou à l'aide d'un bulletin : prendre un bulletin était dans ces circonstances, un acte d'héroïsme.

L'habitude que nous en avons peut nous faire oublier que le principe même du secret a parfois été mis en cause. Selon Montesquieu[2], « lorsque le peuple donne ses suffrages, ils doivent être publics ». À croire que les « assemblées générales » de cheminots qui

« votent » la grève à main levée sont inspirées par ce grand juriste. Parfois, un simulacre d'urnes est organisé, avec une urne pour les *oui* et une pour les *non*. On l'a même vu dans des élections politiques, par exemple les législatives de 1992 au Nigeria : des urnes distinctes, et donc des files d'attente distinctes étaient prévues pour les partisans des deux coalitions concurrentes, SDP et NRC. Certes, les décomptes en sont facilités, mais la liberté des votants est singulièrement limitée.

Cependant, en dehors d'éventuelles intentions malignes, à certaines époques ou dans certains pays, il faut reconnaître que la présence d'électeurs ne sachant ni lire, ni écrire, est un obstacle sérieux au secret du vote. La loi du 15 mars 1849, tout en proclamant le secret du vote, autorisait les électeurs à préparer à l'avance leur bulletin sur papier blanc et à le remettre plié au président du bureau de vote qui devait s'assurer qu'il n'en contenait pas un second. Et c'est seulement la loi du 29 juillet 1913 qui rendra obligatoires l'usage d'une enveloppe et le passage par l'isoloir. Aujourd'hui encore, dans certains pays, on utilise des couleurs ou des logos associés à chaque parti candidat.

La pratique actuelle française comporte trois prescriptions majeures :

a) Il faut utiliser des bulletins imprimés (appelés aussi *australian ballots*, bulletins à l'australienne, pour rappeler leur apparition pour la première fois en 1857 en Australie du Sud, Boyle Travers Finniss étant alors Premier ministre). Hélas, dans certains cas, les bulletins manuscrits sont admis, ce qui est très discutable au regard du secret du vote.

b) Il faut placer son bulletin dans une enveloppe officielle, dont même la couleur est prévue (obligatoirement différente de celles de la consultation précédente). L'article L60 du Code électoral précise que le nombre des enveloppes disponibles doit être égal au nombre des électeurs inscrits.

c) Il est obligatoire de passer par l'isoloir. À défaut, un électeur ne doit pas être autorisé à voter.

Ces prescriptions se trouvent, sous une forme à peine modifiée, dans beaucoup de pays démocratiques. Elles sont pratiquement reprises par la Commission de Venise et intégrées dans le Code de bonne conduite.

Nous ne développons pas davantage ces considérations, un peu en marge de notre fil conducteur. Les principes contenus dans le Code de bonne conduite en matière électorale sont indispensables pour donner du sens aux examens détaillés et comparatifs des diverses méthodes de scrutin.

Conclusion

S'il est vrai, selon la formule classique, que les mathématiques sont « la reine et la servante des sciences », elles se comportent plutôt en tyran à l'égard de celle des élections. Ses simples bases logiques suffisent à discréditer, à coup de paradoxes, les modes de scrutin les plus ingénieux. Au prix de quelques raisonnements assez simples, dont nous avons présenté quelques exemples, elle récuse à l'avance les inventeurs à venir à force de théorèmes d'impossibilité.

Les assemblées

Du côté de la constitution d'assemblées représentatives, nous l'avons vu, tous les systèmes sont affligés de défauts irrémédiables ; tente-t-on d'en corriger un qu'un autre apparaît plus loin, de sorte que, si la proportionnalité rigoureuse est hors d'atteinte, faute de pouvoir diviser les sièges et les députés, la proportionnalité approchée est impossible à définir de façon logique. La seule assemblée parfaitement fidèle est le peuple lui-même tout entier. On retrouve, par cette approche logique, ce que Rousseau présentait d'un point de vue politique : « La souveraineté ne peut être représentée, pour la même raison qu'elle ne peut être aliénée [1]. »

La démocratie directe a pu et peut encore fonctionner dans des groupes restreints. Dans l'Athènes de Périclès, il suffisait que six mille citoyens fussent rassemblés sur l'agora pour être considérés comme le peuple d'Athènes, pour délibérer et voter. Mais même avec cette limitation numérique, on imagine mal le débat entre six mille interlocuteurs ! Dans une assemblée législative de quelques centaines de membres, on éprouve le besoin de faire débattre des projets au préalable au sein de commissions. Ce qu'on appelle parfois « démocratie directe » n'est qu'imparfaitement direct : pour un référendum, le peuple approuve ou rejette, il ne discute pas.

La décision

Du côté de la décision à prendre directement par un groupe, la situation logique n'est guère meilleure. Le théorème d'Arrow et ses multiples avatars nous indiquent clairement que la voie est sans issue. Aucun système imaginable ne répond aux exigences les plus élémentaires de la simple logique.

Aucun ? Arrow ne va pas jusque-là puisqu'il nous dit plus exactement : aucun à l'exception de la dictature. Nous nous voyons mal la recommander. Mais la vitre contre laquelle nous nous cognons n'est pas exempte de fissures. La manifestation la plus éclatante de l'illogisme de beaucoup de procédures majoritaires est, nous l'avons vu, l'effet Condorcet, le fait qu'une assemblée préfère majoritairement A à B, B à C et C à A. Mais nous avons vu aussi que cela ne se produit pas systématiquement ; il existe de nombreux cas de préférences individuelles qui s'agglomèrent parfaitement en une préférence collective. Tous avaient quelque chose en commun, une forme de consensus. Ce consensus ne porte pas sur les préférences, qui restent libres, mais sur une présentation des candidats, une échelle commune permettant de les ordonner.

On peut aller encore plus loin : il n'est plus besoin de procédures de vote, il n'y a plus à craindre leurs paradoxes éventuels dans un cas bien particulier : l'unanimité. Utopie ? Il y aurait alors beaucoup d'utopistes sur terre.

L'unanimité naturelle

Lorsqu'il s'agit de formuler la volonté générale, l'unanimité est à première vue l'exigence la plus naturelle.

Elle n'est pas si exceptionnelle lorsqu'elle est utile et que l'enjeu est faible : lorsqu'un groupe d'hommes doit tirer une charge très lourde, le premier qui scande l'effort commun en criant en mesure « ho, hisse » voit généralement son autorité toute temporaire immédiatement reconnue par le groupe. Lors de la première réunion d'une assemblée, avant l'élection de ses organes de direction, la présidence du doyen d'âge est généralement acceptée par tous les participants.

Dans d'autres cas, il y a une sorte d'évidence : au sein du conseil des ministres, l'usage n'est pas de voter, toutes les décisions sont celles du gouvernement tout entier. Comme le disait Jean-Pierre Chevènement, « un ministre, ça ferme sa gueule ou ça s'en va ». Lorsqu'une liste emporte tous les sièges au sein d'un conseil municipal, la première réunion est consacrée à l'élection du maire, et l'unanimité se fait généralement sans difficulté ni débat.

Ce n'est pas là une pratique nouvelle : le droit canonique prévoit ce cas pour l'élection du pape *quasi per inspirationem*, ou par acclamation. Le sociologue belge Léo Moulin rappelle les élections ainsi réalisées des papes Alexandre V (1409), Paul III (1534), Pie IV (1559), Pie V (1566), Sixte V (1585), Clément X (1670), Innocent XI (1676). De nombreux évêques ont aussi été élus de cette façon, jusqu'à ce que le concile de Trente interdise cette pratique pour toute autre élection que celle du pape.

Si l'on adopte la conception rousseauiste de la volonté générale, au-dessus et en dehors des préférences individuelles, l'unanimité est la chose du monde la plus naturelle : « Le bien commun se montre partout avec évidence et ne demande que du bon sens pour être perçu », de sorte que « le premier qui propose une loi nouvelle ne fait que dire ce que tous ont déjà senti[2]. »

Comme le bon sens est la chose du monde la mieux partagée, on devrait observer partout cette belle unanimité.

L'unanimité d'adhésion

L'approbation du pacte social primitif, nous l'avons vu, est par nature unanime. Là encore, les exemples sont nombreux.

En Europe, la société féodale reposait largement sur des actes individuels, des contrats de vassalité qui fondaient les rapports sociaux et politiques. Un suzerain ne pouvait prendre aucune mesure importante sans l'assentiment des vassaux qu'elle concernait. Grands travaux, sécurité publique, expéditions militaires, alliances ne pouvaient se conclure que sous la forme juridique de contrats. Pour la désignation du roi ou de l'empereur, il en allait de même : selon Joseph Stawski, « l'électeur, dans sa conscience juridique, ne participe pas tant à l'établissement de l'organe central, doué par la collectivité du pouvoir suprême, qu'il se choisit à lui-même son seigneur ». Dans cette conception, il n'y a pas élection, au sens moderne du terme, mais actes individuels d'adhésion. Ceux qui adhèrent sont naturellement unanimes.

Même encore aujourd'hui, la diplomatie repose essentiellement sur l'accord d'États souverains. En dehors de quelques abandons de souveraineté, tels qu'il en existe par exemple au sein de l'Union européenne, nul État ne saurait se trouver engagé malgré lui. Les États en désaccord conservent toujours la possibilité de se retirer du traité, ou de ne pas le ratifier, même si, politiquement, une telle attitude peut entraîner quelques difficultés. C'est pourquoi, le plus souvent, un consensus est recherché au cours de l'élaboration du traité. Le vote final unanime apparaît ainsi comme une cérémonie davantage que comme un acte de décision.

L'unanimité de protection

La règle d'unanimité peut être aussi considérée comme le rempart de la liberté. Que nul ne soit contraint de faire ou d'accepter ce qu'il n'a point voulu. Une règle canonique l'exprime fort simplement : *Quod omnes tangit ab omnibus tractari et approbari debet*, ce qui concerne tous les individus doit être discuté et approuvé par tous.

Les exemples sont nombreux. C'est au nom de cet adage que la règle d'unanimité prévaut dans notre droit commercial pour certaines décisions des associés : la création d'une société, mais aussi certains changements de statuts, la liquidation ou la fusion. Les copropriétés connaissent aussi des cas d'unanimité légale, comme les modifications de la destination de l'immeuble ou sa surélévation.

L'unanimité assistée

L'unanimité n'est pas toujours spontanée. À l'époque où les papes devaient être élus à l'unanimité, il existait une procédure, l'*accessus*, qui permettait, dans une certaine mesure, d'abréger la procédure. Après qu'un vote avait dégagé une tendance en faveur d'un candidat, il était permis à chaque votant de se rallier, de « faire accession » : ce système est resté en vigueur de 1562 (constitution *In eligendis*) à 1904. Les motifs de cette accession restent enfouis dans les consciences. S'il y a une division des voix, elle ne peut être que temporaire, et les minoritaires se rallient finalement à l'élu, si bien que le procès-verbal enregistre systématiquement l'accord unanime. Le pape Alexandre III, en 1159, se déclare élu « à l'unanimité, à l'exception de quelques opposants… »

La Gaule aussi, au témoignage de Jules César, connaît un mode d'approbation collective, moins policé, qui ne laisse guère de place à un décompte des opposants : « La foule tout entière pousse des clameurs et agite bruyamment ses armes, ce qui est la façon de marquer l'approbation d'un orateur. » Tacite a décrit le mode germanique de décision collective : « Si l'avis déplaît, on le repousse par des murmures ; s'il est approuvé, on brandit les framées ; ce suffrage des armes est la marque la plus honorable de l'accord. »

Selon Ulpien, « ce qui est décidé par la majorité doit être considéré comme décidé par tous ». Ainsi, c'est l'unanimité qui confère son autorité à la décision. Souvenir d'un paradis perdu ou espoir d'un éden chimérique, les sociétés qui reposent sur l'unanimité nous donnent peut-être une leçon. Ne cherchez pas de système parfait, les mathématiques vous préviennent que c'est peine perdue.

Glossaire

ABSOLUE (majorité) : Plus de la moitié des voix.

ALTERNATIF (vote) : Système dans lequel chaque électeur classe tous les candidats ; celui qui a la majorité absolue des premières préférences est élu. À défaut, celui qui en a le moins est éliminé et le décompte est refait. On recommence jusqu'à ce qu'un candidat soit élu.

APPARENTEMENT : Accord entre deux ou plusieurs listes concurrentes, pour leur permettre d'atteindre plus facilement le seuil fixé, soit pour obtenir des sièges à la proportionnelle, soit pour remporter la prime majoritaire.

APPROBATION (vote d') : Dans un scrutin uninominal, système dans lequel un électeur est autorisé à approuver autant de candidats qu'il le juge bon. Celui qui recueille le plus d'approbations est élu.

BORDA (méthode de) : Chaque électeur attribuant des points selon une échelle régulière prédéfinie, les candidats sont ensuite classés suivant le total obtenu.

CIRCONSCRIPTION : Cadre géographique dans lequel un vote est organisé ; les bulletins des électeurs d'une même circonscription sont comptés ensemble.

CONDORCET (effet) : voir CYCLE

CONDORCET (vaincu à la) : Candidat qui serait battu systématiquement s'il était opposé séparément à tout autre candidat.

CONDORCET (vainqueur à la) : Candidat qui l'emporterait systématiquement s'il était opposé séparément à tout autre candidat.

CUBE (loi du) : Remarque selon laquelle, dans un scrutin majoritaire, le rapport entre les nombres de sièges obtenus par les deux partis opposés serait le cube du rapport entre leurs nombres de suffrages. Elle est soumise à tant de conditions qu'elle n'a aucune valeur prédictive.

CUMULATIF (vote) : Système plurinominal majoritaire dans lequel l'électeur peut cumuler sur un candidat l'ensemble des voix dont il dispose.

CYCLE : Situation dans laquelle un candidat A est préféré à un candidat B, B est préféré à C et pourtant C est préféré à A. Connu aussi sous le nom d'effet Condorcet.

D'HONDT (méthode) : Système de répartition proportionnel dans lequel les suffrages obtenus par chaque liste sont divisés successivement par les entiers 1, 2, 3, 4..., les quotients les plus élevés donnant droit à un siège.
Équivalente à la méthode de Jefferson, et à la méthode de la plus forte moyenne.

DIVISEUR : Dans un système proportionnel, nombre de voix donnant droit à un siège. On dit aussi *quota*.

DROOP (diviseur de) : Nombre de suffrages qui, dans un système proportionnel donne droit à un siège, calculé en divisant le nombre des suffrages exprimés par le nombre de sièges à pourvoir augmenté de 1, et en arrondissant vèrs le haut (ou en ajoutant 1 si le quotient est entier).

GERRYMANDERING : Pratique de découpage des circonscriptions dans un système majoritaire visant à faire élire ses adversaires avec le plus grand nombre de suffrages possibles (dont une grande partie est alors exprimée en pure perte).

HAGENBACH-BISHOFF (diviseur de) : Nombre de suffrages qui, dans un système proportionnel donne droit à un siège, calculé en divisant le nombre des suffrages exprimés par le nombre de sièges à pourvoir augmenté de 1. Il est inférieur au diviseur de Hare, et diminue donc le nombre des sièges non attribués aux quotients.

HAMILTON (méthode d') : Méthode des plus forts restes.

HARE (diviseur de) : Nombre de suffrages qui, dans un système proportionnel donne droit à un siège, calculé en divisant le nombre des suffrages exprimés par le nombre de sièges à pourvoir.

HARE (système de) : Vote transférable.

IMPERIALI (diviseur d') : Nombre de suffrages qui, dans un système proportionnel donne droit à un siège, calculé en divisant le nombre des suffrages exprimés par le nombre de sièges à pourvoir augmenté de 2. Il est inférieur aux diviseurs usuels, et diminue donc le nombre des sièges non attribués aux quotients. Il n'a été utilisé qu'en Italie, et abandonné en 1993.

JEFFERSON (méthode de) : Système de répartition proportionnel dans lequel le prix d'un siège en voix est fixé en sorte que tous les sièges à pourvoir soient ainsi attribués aux quotients.

Équivalente à la méthode d'Hondt, et à la méthode de la plus forte moyenne.

LIMITÉ (vote) : Système plurinominal majoritaire dans lequel l'électeur dispose de moins de voix qu'il n'y a de sièges à pourvoir.

MONOTONIE : Dans un système de répartition proportionnel, qualité qui veut que, si une liste voit augmenter le nombre de ses suffrages, il n'en résulte jamais une diminution du nombre de ses sièges (paradoxe démographique). De même, si davantage de sièges sont à répartir, aucune liste ne doit voir son attribution diminuer (paradoxe de l'Alabama).

MOYENNE (plus forte) : Système de répartition proportionnel dans lequel les sièges sont d'abord attribués aux quotients, les sièges restants étant ensuite, un par un, attribués à celle des listes qui, en le recevant, aurait la plus forte moyenne d'électeurs par siège obtenu. Équivalente à la méthode d'Hondt, et à la méthode de Jefferson.

PANACHAGE : Système proportionnel dans lequel les électeurs peuvent exprimer leurs préférences pour des candidats présentés sur des listes distinctes.

PLURALITÉ : Nombre de voix supérieur à celui de tout autre concurrent. On dit aussi *majorité relative*.

PRÉFÉRENTIEL (vote) : Scrutin de liste dans lequel tout électeur est autorisé à indiquer le (ou les) candidats qu'il préfère sur la liste qui a son suffrage.

PRIME MAJORITAIRE : Dans un système proportionnel, sièges supplémentaires attribués en sus de sa part à la liste qui a obtenu le plus de suffrages.

QUOTA : Dans un système proportionnel, nombre de voix donnant droit à un siège. On dit aussi *diviseur*.

RELATIVE (majorité) : Nombre de voix supérieur à celui de tout autre concurrent. On dit aussi *pluralité*.

RESTES (plus forts) : Système de répartition proportionnel dans lequel les sièges sont d'abord attribués aux quotients, les sièges restants étant ensuite, un par un, attribués à celle des listes qui a le plus grand nombre de suffrages non utilisés. Connue aussi sous le nom de méthode d'Hamilton.

SAINTE-LAGÜE (méthode de) : Système de répartition proportionnel dans lequel les suffrages obtenus par chaque liste sont divisés successivement par les entiers impairs 1, 3, 5..., les quotients les plus élevés donnant droit à un siège.

Équivalente à la méthode de Webster. Utilisée dans les pays scandinaves après modification du premier diviseur (1, 4 au lieu de 1) pour créer un seuil d'accès au premier siège.

SCORES (méthode à) : Méthode dans laquelle chaque électeur attribuant des points selon une échelle prédéfinie, les candidats sont ensuite classés suivant le total obtenu. Lorsque l'échelle est régulière, la méthode prend le nom de méthode de Borda.

SEUIL : Nombre de voix nécessaires pour participer au partage des sièges dans un système proportionnel, ou pour se maintenir au second tour dans un système à deux tours.

STRATÉGIQUE (vote) : Vote non conforme aux véritables préférences de l'électeur, mais qui lui permet d'obtenir un résultat à ses yeux meilleur. On dit aussi *vote sophistiqué,* ou *vote utile.*

TRANSFÉRABLE (vote) : Système dans lequel toute voix inutile à l'élection d'un candidat est transférée au candidat qui a la seconde préférence de l'électeur. Connu aussi sous le nom de *système de Hare,* ou *système irlandais.*

VUNT : Vote unique non transférable. Chaque électeur dispose d'un suffrage, quel que soit le nombre de sièges à pourvoir. Sont élus ceux qui obtiennent le plus de suffrages.

WEBSTER (méthode de) : Méthode de répartition proportionnelle à diviseurs. Le diviseur est choisi en sorte que les justes parts de chaque liste, arrondies à l'entier le plus proche, permettent d'attribuer tous les sièges en jeu. Équivalente à la méthode de Sainte-Lagüe.

Notes

INTRODUCTION

1. Rousseau, J.-J., *Du contrat social*, IV, 2.

CHAPITRE PREMIER
le vote majoritaire

1. Décret du 7 mars 2003.
2. Pline, *Lettres*, livre VIII, lettre 14.
3. Informations à jour en juin 1997 (www.aceproject.org).

CHAPITRE 2
la méthode de Borda

1. Laplace, *Théorie analytique des probabilités*, Paris, 1812, p. 273.
2. *La Décade philosophique*, 83, 20 thermidor an IV (7 août 1796).
3. Un remarquable site Internet est consacré à la vie et l'œuvre de Nicolas de Cues : http://perso.wanadoo.fr/jm.nicolle/cusa
4. Young, H. P., « An axiomatisation of the Borda's Rule », *Journal of Economic Theory*, sept. 1994, 9, p. 43-52.
5. Note à la Division des Sciences morales et politiques, 12 thermidor an VIII.

CHAPITRE 3
le défi au vainqueur

1. MacKay, A. F., *Arrow's Theorem, a Case Study in the Philosophy of Economics*, Yale University Press, 1980.

2. Condorcet, *Essai sur l'application de l'analyse à la probabilité des décisions rendues à la pluralité des voix*, Paris, 1785.

3. Dodgson, Ch., *Discussion de diverses méthodes de procédure pour la conduite des élections* (1873) trad. fr. dans J.-L. Boursin, *Les Dés et les Urnes*, Paris, Seuil, 1990.

4. Nanson, E.J., « Methods of election », *Transactions and proceedings of Royal Society of Victoria*, 19, 1882.

5. Black, D, *The Theory of Committees and Elections*, Cambridge, Cambridge University Press, 1958.

CHAPITRE 4
Arrow : les mélanges détonants

1. May, K. O., « A set of independant conditions for simple majority decisions », *Econometrica*, vol. 20 n° 3, octobre 1952.

2. On dissimule ici ce qu'on appelle en mathématiques un raisonnement par récurrence.

3. Hansson, B., Group preferences, Econometrica, 37 (1959), p. 50-54.

4. Favre, P., *La Décision de majorité*, Paris, F.N.S.P., 1976.

5. Kelly, J. S., *Arrow Impossibility Theorems*, Academic Press, New York.

6. On pense au jeu chinois que tous nous avons pratiqué dans l'enfance : la feuille de papier plus forte que le caillou puisqu'elle l'enveloppe, le caillou plus fort que les ciseaux puisqu'il les ébrèche, les ciseaux plus forts que le papier puisqu'ils le coupent.

7. Dans un article publié en 1948 dans *Journal of Political Economy*, et développé ensuite dans Black, D., *The Theory of Committees and Elections*, Cambridge University Press, 1958.

8. Galton, F., « One vote, one value », *Nature*, 1907, vol. LXXV, p. 414.

CHAPITRE 5
la représentation proportionnelle

1. Braud, P., « Le suffrage universel contre la démocratie », Paris, PUF, 1980.

2. Goguel, F., « Sur la réforme électorale », Paris, *Esprit*, 1950, p. 153 et *sq*.

3. *Journal officiel de la République française*, 12 avril 2003, p. 6 502.
4. Campbell, P., *French Electoral Systems and Elections*, Londres, Faber & Faber, 1958.
5. Lachapelle, G., *Les Régimes électoraux*, Paris, Armand Colin, 1934.
6. Boursin, J.-L., *Les Dés et les Urnes, les calculs de la démocratie*, Paris, Le Seuil, 1990.

CHAPITRE 6
les inégalités de représentation

1. Banquet républicain du 17 mars 1910.
2. Dodgson, C., *The Principles of Parliamentary Representation*, Londres, Harrison & Sons, 1884.

CHAPITRE 7
les méthodes à diviseurs

1. Balinski, M. et Young, E., *Fair Representation*, Yale University Press, 1982.
2. Suivant la règle wallonne, il faudrait écrire Victor D'Hondt, et parler de la méthode de D'Hondt. Nous suivons l'usage plus léger des nombreux auteurs francophones qui utilisent la minuscule et évoquent la méthode d'Hondt.

CHAPITRE 8
l'équité proportionnelle

1. *Journal Officiel de la République française*, Assemblée nationale, 12 mai 2003, p. 3 712.
2. *De l'esprit des lois*, livre 2, ch. 2.

CONCLUSION

1. *Du contrat social*, III, 15.
2. *Du contrat social*, IV, 1.

Index

Table

CHAPITRE 2
La méthode de Borda

CHAPITRE 3
Le défi au vainqueur

CHAPITRE 4

Arrow : les mélanges détonants

CHAPITRE 5

La représentation proportionnelle

CHAPITRE 6
Les inégalités de représentation

CHAPITRE 7
Les méthodes à diviseurs

CHAPITRE 8
L'équité proportionnelle

DU MÊME AUTEUR

La France sans citoyens (en collaboration avec Jean Fourastié), Paris, Bordas, 1973
La Forme scientifique du mensonge, Paris, Tchou, 1978
Les Structures du hasard, Paris, Le Seuil, 1986
Les Indices de prix, Paris, PUF, 1979
Convaincre avec des chiffres, Paris, Chotard, 1987
Les Dés et les Urnes, Paris, Le Seuil, 1990
Des préférences individuelles à la décision collective, Paris, Economica, 1995
La Décision rationnelle, Paris, Economica, 1996
L'Administration de l'Éducation nationale, Paris, PUF, 1998
Initiation à la théorie des jeux, Paris, LGDJ, 1999

Ouvrage publié sous la responsabilité éditoriale
de Gérard Jorland

CET OUVRAGE A ÉTÉ COMPOSÉ
ET MIS EN PAGES CHEZ COMPO 2000 (SAINT-LÔ)
ET ACHEVÉ D'IMPRIMER SUR ROTO-PAGE
PAR L'IMPRIMERIE FLOCH À MAYENNE
EN JANVIER 2004.

N° d'impression : 59117.
N° d'édition : 7381-1379-X.
Dépôt légal : février 2004.
Imprimé en France